PRIMERA PARTE

Las seis mesas del mago

«No hay que negar nunca la hospitalidad a los forasteros,
pues hay quien ha estado en compañía de ángeles sin saberlo.»

EPÍSTOLA A LOS HEBREOS 13:2

«No llores porque las cosas han terminado;
sonríe porque han existido.»

L. E. BOURDAKIAN

Para Sandra Bruna, siempre mágica.

Aribau, 142, pral. - 08036 Barcelona
www.mundourano.com
www.edicionesurano.com

ISBN: 978-84-7953-688-6
Depósito legal: NA. 2.813 - 2008

Fotocomposición: Ediciones Urano, S.A.
Impreso por Rodesa, S.A. – Polígono Industrial San Miguel
Parcelas E7-E8 – 31132 Villatuerta (Navarra)

Impreso en España - *Printed in Spain*

Francesc Miralles
Care Santos

El mejor lugar del mundo es aquí mismo

URANO

Argentina • Chile • Colombia • España
Estados Unidos • México • Uruguay • Venezuela

Bajo un cielo sin sueños

Los domingos por la tarde son un mal momento para tomar decisiones, sobre todo cuando enero cubre la ciudad con un manto gris que ahoga los sueños.

Iris había salido de casa después de comer sola frente al televisor. Hasta la muerte de sus padres en accidente de tráfico, no había dado tanta importancia al hecho de no tener pareja. Tal vez por su timidez incurable, veía casi normal que a sus treinta y seis años su experiencia sentimental se hubiera limitado a un amor platónico no correspondido y a unas cuantas citas sin continuidad.

Desde aquel terrible suceso, sin embargo, todo había cambiado. Las aburridas jornadas como telefonista de una compañía de seguros ya no tenían como compensación el fin de semana familiar. Ahora estaba sola. Y lo peor de todo era que había perdido incluso la capacidad de soñar.

Hubo un tiempo en el que Iris era capaz de imaginar toda clase de aventuras que daban sentido a su vida. Se veía a sí misma trabajando en una ONG, por ejemplo, donde un cooperante tan retraído como ella se enamoraba de sus huesos y le juraba en silencio amor eterno. Se comunicaban a través de poemas en una clave que sólo ellos podían descifrar, retrasando el momento sublime en el que se fundirían en un abrazo interminable.

Aquel domingo, por primera vez, tuvo la conciencia de que también aquello había terminado. Tras recoger la mesa y apagar el televisor, un silencio opresivo se había apoderado de su pequeño apartamento. Sintiendo que le faltaba el aire, abrió la ventana y vio aquel cielo plomizo sin aves.

Al pisar la calle tuvo un sentimiento de fatalidad. No se dirigía a ningún sitio, pero a pesar de todo tenía el presentimiento de que algo terrible la acechaba y la atraía como un abismo.

Tal como ocurría todos los domingos, el barrio residencial en el que Iris vivía se hallaba tan desierto como su alma. Sin saber por qué, se encaminó como una autómata hacia el puente bajo el que circulaban los trenes de cercanías.

Un viento helado y silbante azotaba sus cabellos, mientras ella contemplaba el foso surcado de raíles a modo de brillantes cicatrices. Iris consultó su reloj: las cinco de la tarde. Pronto pasaría el tren en dirección al norte. El domingo había uno cada hora.

Sabía que, tres segundos antes de aparecer, el puente temblaría como si se desatara un pequeño terremoto. El tiempo justo para inclinarse hacia el vacío y dejarse vencer por la fuerza de la gravedad. Un breve vuelo hasta que el convoy la embistiera antes incluso de tocar tierra.

Todo sucedería muy aprisa. ¿Qué es un instante de dolor comparado con una vida llena de amargura y desilusión?

Sólo la entristecía pensar en todo lo que dejaba para siempre por hacer. Y, por alguna razón, también la perturbaba saber que causaría molestias a los usuarios del tren. Los servicios se interrumpirían un buen rato mientras su cuerpo sin vida esperaba la llegada del juez y el forense. Menos mal que los domingos hay pocos pasajeros y los que viajan no suelen tener mucha prisa. Aquel contratiempo no les haría perder ninguna cita importante, y esto la consolaba.

Mientras pensaba estas cosas, el puente empezó a temblar y sintió cómo su cuerpo se plegaba espontáneamente hacia delante. Estaba a punto de cerrar los ojos para aceptar la caída, cuando un estallido a sus espaldas la detuvo de repente.

Iris se dio la vuelta, con el corazón encogido por el sobresalto, y vio a un niño de poco más de seis años. En la mano llevaba los restos del globo que acababa de pinchar para asustarla. La despidió con una breve risotada antes de salir corriendo calle abajo.

Lo siguió con la mirada a la vez que sentía cómo un sudor frío le empapaba la nuca y las manos. Le hubiera gustado correr tras él hasta atraparlo. Pero no para reprenderle, como pensaba el pequeño, sino para darle un abrazo porque acababa de salvarle la vida.

Antes de que pudiera darle alcance, una mujer gruesa salió de la esquina con las mejillas encendidas y lo llamó:

—¡Ángel!

El niño se apresuró a aferrarse a su madre y miró hacia Iris receloso, como si temiera que pudiera denunciar su travesura.

Pero Iris no pensaba en nada de esto. Sólo lloraba sin cesar porque empezaba a darse cuenta de lo que había estado a punto de hacer.

Cuando las lágrimas dejaron de nublar sus ojos, de repente se fijó en un café que nunca antes había visto en aquella esquina por la que tan a menudo pasaba.

«Debe de ser nuevo», se dijo, aunque el aspecto de aquel local no apoyaba esa suposición.

Hubiera podido pasar por una de esas tabernas irlandesas, todas tan parecidas, de no ser porque tenía un aire de autenticidad que lo hacía único. En el interior, dos lámparas amarillentas pendían sobre las mesas rústicas, sorprendentemente concurridas a aquella hora del domingo.

Pero lo que más le llamó la atención fue el rótulo luminoso que parpadeaba entrecortadamente sobre la puerta de entrada, como si se empeñara en llamar su atención. Iris se detuvo un instante y leyó en voz baja:

EL MEJOR LUGAR DEL MUNDO
ES AQUÍ MISMO

Nubes que pasan

Resultaba un nombre muy largo y extraño para un café. Quizás fue eso —era curiosa por naturaleza— lo que la decidió a entrar. Al traspasar el umbral ninguno de los clientes levantó la cabeza para mirarla ni pareció advertir su presencia.

Sólo el hombre que se veía tras la barra, un casi anciano de abundante melena blanca, saludó su entrada con una sonrisa, un signo de hospitalidad universal.

De las seis mesas, cinco estaban ocupadas por parejas o grupos de amigos que charlaban en voz tan baja que apenas podía oírse nada de lo que decían.

Dado que por aquella parte del barrio siempre pasaban las mismas personas, Iris se sorprendió de no conocer a ninguno de los clientes del café, donde en aquel momento sonaba una vieja canción de los Beatles que le había gustado mucho de adolescente:

«*And in the end, the love you take is equal to the love you make...*»*

Se quedó un rato de pie escuchando esta canción, que le traía recuerdos tan dulces como lejanos. Luego se dis-

* Del inglés: *Al final, el amor que obtienes equivale al amor que has creado.*

puso a salir del local, pero el hombre del pelo blanco le indicó desde detrás de la barra con un gesto que podía ocupar la mesa libre.

Iris no se atrevió a contradecirle.

Como si por haber escuchado la música ahora estuviera obligada a consumir, se sentó obedientemente a la mesa y pidió una taza de chocolate caliente.

Al enérgico tema de los Beatles siguió una cansina balada de Leonard Cohen: *I'm your man*.

Mientras acercaba el chocolate caliente a los labios, Iris se encontró repentinamente bien. De algún modo, se sentía acogida por aquellos extraños del café que se comunicaban a través de susurros.

Entrecerró los ojos mientras traducía mentalmente la canción de ese cantautor de Québec que había sido cocinero en un templo zen —lo había leído en una revista— antes de regresar a los escenarios. La balada decía más o menos: *Si quieres un médico, examinaré cada pulgada de ti. Si quieres un conductor, ya puedes subir. O si eres tú quien quiere llevarme de paseo, sabes que puedes porque...*

—...soy tu hombre.

Iris abrió los ojos asustada.

Creía haber oído aquella voz masculina y grave en sus pensamientos, pero lo cierto era que había un hombre sentado a su mesa, justo enfrente de ella. La contemplaba con curiosidad, mientras apoyaba la barbilla sobre el reverso de su mano. Debía de tener más o menos su edad, aunque los cabellos ligeramente grises le conferían un aire más maduro de lo que revelaba su piel, libre de arrugas.

Lo apropiado hubiera sido pedirle que se marchara inmediatamente —se dijo ella—. Las normas básicas de educación dictan que, aunque un local esté lleno, hay que pedir permiso para compartir mesa. Sin embargo, antes de hacerlo no pudo dejar de preguntar con estupor:

—¿Cómo has adivinado...?

—¿...que traducías la canción? —dijo con la misma voz que ella había oído con los ojos cerrados—. Es lo normal en este café y en esta mesa.

Iris se quedó sin habla unos segundos antes de preguntar:

—¿Qué quieres decir?

Enseguida se arrepintió de haberle tuteado, pero de algún modo aquel hombre le transmitía confianza. Era como si no le resultara del todo desconocido.

—Nos encontramos en un lugar especial —señaló hacia la barra—. El dueño de este café no es un hombre cualquiera.

Ella aguardó en silencio que él prosiguiera. El desconocido bajó aún más la voz al explicar:

—Es un ilusionista. Uno de los mejores. Y también un hombre de mundo. Tuvo mucho éxito, pero hace ya unos cuantos años que se retiró.

—¿Un ilusionista? —preguntó ella.

—Eso mismo, un mago. Un prestidigitador a la antigua usanza. Él es quien te ha servido el chocolate.

Asombrada, Iris dirigió la mirada instintivamente a la barra, donde el hombre de pelo blanco asintió con la cabeza, sonriendo a modo de confirmación. Le observó mejor: se ocupaba en secar varias filas de vasos. Pero había algo en él muy especial, incluso estando ocupado en una actividad tan vulgar como aquélla. Iris también se dio cuenta de que sus movimientos no parecían los de una persona mayor, como si su cuerpo conservara la juventud de sus mejores años. Tenía un aire a la vez decadente y distinguido, como les ocurre a los galanes de las fotos antiguas.

El joven del pelo gris continuó con sus explicaciones.

—Y si el dueño es especial, el café no lo es menos. Cada una de las mesas tiene extrañas propiedades.

—¿Qué clase de propiedades?

—Digamos que tienen cierta magia.

Iris estaba convencida de que el desconocido quería tomarle el pelo, igual que un adulto con un niño pequeño. Reparó en un anillo que llevaba en el pulgar. Sólo había conocido a una persona que llevara anillos en ese dedo: su padre. Esa insólita razón hizo que se sintiera repentinamente cómoda. Más aún: de repente le apetecía que aquel hombre, el cual tenía un suave acento extranjero, le tomara el pelo.

—¿Ah sí? ¿Cuál es la magia, entonces, de la mesa a la que estamos sentados? —preguntó.

—Quien se sienta donde yo estoy puede leer el pensamiento de quien ocupa tu lugar. Por eso he podido saber que estabas traduciendo la canción de Leonard.

—Bobadas —replicó con una seguridad nada propia de ella—. Debes de haber leído en mis labios que la estaba tarareando y has querido hacerte el listo.

—¿Necesitas otra prueba? —contratacó divertido mientras se recostaba en el respaldo de la silla—. Pues voy a dártela: ahora mismo estás pensando que no me has visto nunca por el barrio. Te estás preguntando qué hago aquí y cuál es mi origen, porque aunque hablo bien tu idioma, la entonación no termina de sonarte natural.

Era obvio que Iris conocía de vista a sus vecinos, y él mismo era consciente de su acento extranjero. Aquello era pura lógica, no magia. Sin embargo, para no decepcionarle, decidió aplicar una máxima que había aprendido en la facultad de Periodismo: «Nunca dejes que la realidad te estropee una buena historia».

Se quedó unos segundos pensativa. Todo aquello podía ser un truco de seductor profesional.

—Por supuesto, también sé lo del anillo —dijo en ese momento su acompañante.

—¿Qué anillo? —dijo ella, boquiabierta, mientras sentía acelerarse sus pulsaciones.

—Sé que te ha hecho pensar en una persona querida. Y te estás preguntando si me parezco a ella en algo más, además de en el anillo que llevo puesto. También sé que esa persona hace poco que se fue para siempre y que su ausencia te entristece mucho.

Con fingida indiferencia, Iris sorbió lentamente su taza de chocolate antes de responder:

—Por lo tanto, debo tener cuidado con lo que pienso.

—Yo no diría eso. Los pensamientos en sí no son buenos ni malos, ¿sabes?

—¿A qué te refieres?

—Según los estudiosos, cada día tenemos unos sesenta mil pensamientos. Positivos y negativos, banales y profundos. No hay que juzgarlos: son como nubes que pasan. Somos responsables de lo que hacemos, pero no de lo que pensamos. Por eso, cuando alguna idea te angustie, simplemente ponle la etiqueta «pensamiento» y déjala pasar.

«Habla bien, este tipo», se dijo Iris mientras se preguntaba, intrigada, si efectivamente podía leerle la mente.

—Respondiendo a lo que pensabas antes —siguió él—, has acertado: no soy del barrio. Ni tampoco de este país. A veces sospecho incluso que no soy de este planeta, que he caído aquí por accidente de algún mundo lejano. Y me he pegado un tortazo tan grande que he olvidado incluso de dónde vengo. Para saberlo, tendré que esperar a que mi nave pase a recogerme.

Iris se reía por dentro mientras le escuchaba. Si pretendía ligar con ella, iba por el buen camino: de momento ya se había ganado su simpatía.

—Sabrás al menos cómo te llamas —intervino ella.

—Me llamo Luca.

—Es un nombre italiano, como tu acento —repuso sin revelarle todavía su propio nombre—. ¿Hay italianos viviendo en otros planetas?

—Todo es posible —repuso él con una sonrisa melancólica—. Pero si te soy sincero, no me importa demasiado. Sólo sé que tú y yo estamos ahora en este café.

Iris suspiró antes de repetir en voz alta el nombre del local:

—El mejor lugar del mundo es aquí mismo.

Perro pequeño busca amor grande

Lo sucedido el domingo por la tarde hizo que Iris empezara la semana con media sonrisa en los labios. De repente ya no le parecía un destino tan horrible atender las consultas telefónicas de una empresa de seguros. Estaba tan acostumbrada a responder siempre a las mismas preguntas que podía hablar y pensar en otras cosas al mismo tiempo.

La mañana se le hizo más corta que de costumbre mientras evocaba la tarde con Luca en el café inesperado.

Incluso aquel trabajo aburrido tenía sus misterios. Algo que a Iris le sorprendía desde hacía tiempo era lo que se conocía como «oasis sin llamadas». Tras largas horas con los teléfonos reclamando a los operadores de forma ininterrumpida, de repente callaban todos de golpe sin que hubiese una razón para ello. Como si hubiera pasado un ángel.

El oasis podía durar un par de minutos a lo sumo, tras los cuales los monitores volvían a parpadear con la llegada de un nuevo aluvión de llamadas.

Como era su costumbre, Iris aprovechó esta pausa en medio del fragor para hojear uno de los periódicos gratuitos que circulaban por las mesas. Pasó, de atrás hacia delante, por las páginas de televisión y deportes. Tras leer los titulares de sociedad, se detuvo en un anuncio a pie de página que despertó su curiosidad.

La ilustración de aquel perrito para adoptar, bajo el cual había un número de teléfono, le traía recuerdos agradables. Se parecía a un chucho sin raza que había conocido muchos años atrás. Fue en un albergue de montaña donde había pasado el mejor fin de semana de su vida.

Dio las gracias al perro del anuncio por haberle devuelto unos recuerdos ya olvidados. En medio del oasis, cerró los ojos para tratar de recuperar aquellos días dorados.

Iris tenía dieciséis años y había viajado con su escuela para pasar cuatro días en la nieve. A las tres de la madrugada había subido a un autocar lleno de esquíes, botas y pocas ganas de dormir.

Ella no sabía esquiar, pero deseaba fervientemente conocer la nieve. Había visto alguna suave nevada en su ciudad sin que llegara a cuajar. Aquella sería la primera vez que viajaría a un mundo totalmente blanco.

El paisaje invernal la entusiasmó, aunque sus pinitos con el esquí terminaron bien pronto. Mientras bajaba haciendo cuña por una pista de nivel elemental, dio un traspiés y cayó de bruces sobre la nieve. Se había torcido un tobillo. Desde aquel lecho inmaculado, Iris vio cómo una figura naranja giraba veloz y prácticamente volaba hacia ella.

Aquel socorrista de la nieve tendría poco más de veinte años. Cuando se inclinó sobre ella para preguntarle cómo estaba, supo que ese chico de cara un poco ancha le gustaba. Tras quitarle la bota, había tomado con suavidad su pie frío para hacerlo rotar con mucho cuidado. Cuando Iris liberó un grito de dolor, el chico dijo:

—Creo que te has fracturado el tobillo.

Acto seguido la tomó en brazos para bajarla a pie de pista, donde se encontraba una unidad de primeros auxilios. Iris se sintió como una princesa en brazos de su príncipe azul, aunque vistiera de naranja. Al llegar abajo, ya estaba enamorada del socorrista.

Para sorpresa de sus compañeros, ella se negó a regresar a su casa para que la viera un médico de la ciudad. En lugar de eso, prefirió quedarse los días restantes en la cama del albergue con un vendaje provisional y los antinflamatorios.

A la mañana siguiente, tras el desayuno, sus compañeros salieron cargando palos y esquíes y ya no regresaron hasta media tarde. Aunque apenas podía moverse y los dolores iban y venían como ráfagas insoportables, ella temblaba de felicidad. El motivo era que Olivier —así se llamaba el socorrista— le había prometido acudir al mediodía para traerle un bol con sopa y pan recién hecho.

Fue una visita breve que ella aguardó con gran emoción. ¿Sería cierto que, como decía el Principito al zorro, la felicidad consiste en poder esperarla?

No pasó nada especial entre ellos, porque el socorrista se mantenía en una cortés distancia y tampoco era muy hablador, pero Iris vivía aquel gesto como un alud de amor.

El segundo mediodía que apareció en la puerta con su anorak naranja y el bol bajo el brazo, entró tras él un perrito muy parecido al que acababa de ver en el anuncio. El animal corrió hasta la cama de Iris, subió sobre su regazo y se sacudió sonoramente para desprenderse de la nieve.

Al ver que la había llenado de polvo blanco, Olivier se sofocó y quiso ahuyentar al chucho de un manotazo.

—¡No, por favor! —le había implorado ella—. Deja que se quede un rato conmigo. ¡Está helado!

El socorrista vio divertido cómo el perro se acomodaba orgulloso sobre el regazo de su protectora.

—Es un perro faldero —dijo su amo sonriendo—. Pasaré a recogerle en un par de horas, cuando termine mi turno. ¡Pórtate bien, *Pilof*! —añadió antes de salir del albergue cerrando la puerta.

Iris había conseguido lo que quería: Olivier regresaría para recoger a su perro, que ya cerraba los ojos y lanzaba pequeños gemidos convocando el sueño. Al recordarlo ahora, casi podía aspirar el olor a perro mojado que impregnaba toda la habitación.

Una figura desgarbada devolvió a Iris a la oficina donde volvían a parpadear todos los teléfonos.

—¿Qué te pasa? —le recriminó el jefe de turno— ¿No ves que hay llamadas?

La mesa del pasado

Se había puesto el sol. De camino a casa, Iris sintió la necesidad apremiante de pasar por el café que había descubierto la tarde anterior. Tras un largo día en la oficina, empezaba a dudar incluso de que ella hubiera estado allí. Sólo habían pasado veinticuatro horas, pero el recuerdo ahora le parecía increíblemente lejano. ¿Y si simplemente lo había soñado?

Al alcanzar la esquina, le maravilló que el insólito rótulo luminoso *—El mejor lugar del mundo es aquí mismo—* siguiera restallando intermitentemente, como si amenazara con apagarse de un momento a otro, mientras vivía los últimos instantes de una existencia larga y tortuosa. Aquella tarde la temperatura había caído en picado y los ventanales estaban cubiertos por el vaho.

Mientras Iris limpiaba parte del cristal con la mano, tuvo que pensar nuevamente en la estación de esquí de su adolescencia, en el socorrista y el perro. ¿Y si aquel recuerdo invernal había ayudado a bajar la temperatura ambiente? ¿No dicen que el aleteo de una mariposa en Hong Kong puede desatar un huracán en Nueva York? ¿Y si los pensamientos también fueran un aleteo, leve pero capaz de influir en la realidad?

«No te pongas filosófica ahora», se dijo mientras pegaba la nariz fría al cristal para ver quién había dentro del café. Para su decepción, estaba vacío. Ni siquiera el mago de pelo blanco y abundante ocupaba su lugar tras la barra. Justo en aquel momento, una explosión sobre su cabeza le dio un susto de muerte.

Tardó unos instantes en entender que el rótulo con el nombre del café se había fundido definitivamente. También el interior se había quedado a oscuras. No detectó ningún movimiento para reparar aquel apagón, lo que le hizo suponer que simplemente estaba cerrado.

Estaba a punto ya de dar media vuelta cuando se abrió la puerta y la blanca melena del mago brilló entre las tinieblas.

—¿Por qué no entra? —preguntó con voz lúgubre—. Se va a helar ahí fuera.

—¡Pero si se ha ido la luz!

—Se ha ido, pero volverá. Pase: yo la guiaré.

Dicho esto, sacó de su bolsillo una linterna pequeña y plana, como las de los antiguos acomodadores de cine. Le iluminó una mesa en el centro del café. Cuando ella se hubo sentado, desapareció tras la barra y se metió en un cuartito que debía de servir de almacén. Al cerrar la puerta, se hizo nuevamente la oscuridad.

Iris no entendía qué hacía ella en un café vacío y en tinieblas. El silencio era, además, tan espeso como la oscuridad. Sólo se oían los golpecitos sordos de una segundera. Por cómo resonaban, supuso que se trataba de un viejo reloj de pared.

Hubiera querido gritar al mago que le indicara el camino de salida, decirle que deseaba marcharse de inmediato, pero los golpes de aquella aguja en la esfera la tenían hipnotizada.

De repente una voz conocida empezó a susurrar delante de ella:

—Tic-tac, tic-tac...

—¿Luca? —exclamó Iris, asustada—. ¿Eres tú?

—No, soy un reloj —respondió con un leve deje italiano—. ¿No lo oyes? Tic-tac, tic-tac...

—Deja de hacer el ganso —protestó ella—. ¿No te han dicho nunca que te comportas como un crío?

—La oscuridad nos vuelve a todos niños pequeños. Incluso los más valientes cuando se encuentran a oscuras buscan inconscientemente la mano de su madre. Por favor, escucha ese reloj.

Desconcertada, Iris prestó atención al tictac de la segundera, mientras su misterioso acompañante permanecía ahora en silencio.

—Parece un reloj normal, pero no lo es —prosiguió Luca.

—¿Por qué lo dices?

—Va hacia atrás en busca de momentos olvidados. Es mágico.

—Claro, como todo lo que hay aquí —repuso Iris con un poco de sorna— Y supongo que estamos en una de las mesas encantadas por el mago. ¿Cuál es el truco? Porque te advierto que un truco a oscuras no tiene ninguna gracia.

—Al contrario —dijo Luca—. Es el grado máximo de maestría para un mago, porque la oscuridad todo lo revela.

—Pues yo no veo nada —protestó ella.

—Es lo que sucede con el pasado: está por todas partes, pero no lo vemos. Por eso no logramos deshacernos de él fácilmente. Somos como una nave inmovilizada por un ancla que se aferra a las profundidades. Lo que no significa que no seamos capaces de arrancarla y proseguir nuestro rumbo.

—Yo no tengo rumbo. No sé por dónde navego ni qué me ata —confesó Iris—. Ni siquiera sé decirte de dónde vengo. ¿Cómo voy a desanclar mi nave?

—Tal vez esta mesa te enseñe cómo hacerlo.

—¿Es la mesa del pasado?

—Puedes llamarla así. Te ayudará a rescatar episodios que creías haber olvidado. Si tiras de ellos llegarás al ancla. De hecho, ni siquiera la necesitarás. Sólo debes cortar la cuerda que te une al pasado: el viento de la vida hará el resto.

—Basta ya de hablar de barcos. ¿Quieres saber algo curioso? —explicó Iris sintiéndose repentinamente cómoda en la oscuridad—. Justamente hoy he recuperado una vieja historia. Nada importante, pero me ha hecho muy feliz revivirla.

—Si te ha hecho feliz, entonces es importante. Cuando enterramos los momentos de felicidad renunciamos a lo mejor de nosotros mismos. Uno puede echar por la borda muchas cosas, pero nunca esos momentos.

—Dicen que la memoria tiene que liberarse de los recuerdos para poder almacenar nueva información —comentó ella—. Pero no hablemos más de teorías. Quiero una prueba de que esta mesa es capaz de hacer aflorar recuerdos olvidados. ¡Sorpréndeme!

Tras decir esto, Iris sintió cómo algo o alguien rozaba suavemente su nuca. Se quedó unos momentos sin saber qué decir. Sospechando de su invisible acompañante, le preguntó:

—¿Has sido tú?

Luca no contestó. Detrás de ella oyó el movimiento de una silla, seguido de una tos lejana y un murmullo casi imperceptible.

—¿Por qué no respondes?

Justo entonces volvió la luz.

Iris se sorprendió al comprobar que el café estaba lleno de gente. Como si hasta entonces la oscuridad les hubiera obligado a actuar con secretismo, la electricidad hizo que las conversaciones subieran de tono. También regresó el sonido de tazas y platos. El mago volvía a estar detrás de la barra, donde trabajaba afanosamente sirviendo bebidas.

En cambio Luca se había esfumado. Antes de levantarse, había dejado en el centro de la mesa un pequeño paquete vertical cuidadosamente envuelto. Llevaba pegada una etiqueta con la siguiente inscripción en letra de imprenta:

PSICOANALISTA DE BOLSILLO

Iris sonrió ante aquel extraño regalo. Sin duda, debía de tratarse de una broma. ¿Cómo podía ser un psicoanalista de diez centímetros de alto por cuatro centímetros de ancho?

Iba a desenvolver el paquete para desentrañar el misterio, cuando vio que un grupo de ancianos vestidos con frac y pajarita no le sacaban el ojo de encima. Echó un vistazo al resto del café y comprobó, para su asombro, que todos los clientes llevaban ropa de época y se comportaban con una ceremonia propia de otros tiempos.

Entonces recordó lo que le había dicho Luca antes de desvanecerse en la oscuridad: «El pasado está en todas partes, pero no lo vemos».

Tras observar con disimulo, llegó a la conclusión de que no conocía a nadie de los que ocupaban las mesas del café.

Iris se levantó, deseosa de abrir aquel insólito regalo en la intimidad. Tras guardar el paquete en el bolsillo de su abrigo, agitó la mano para despedirse del mago, que andaba muy atareado sirviendo a aquella trasnochada clientela.

Pero antes de que pudiera abrir la puerta para salir, el dueño del local había avanzado hasta la salida y se había detenido frente a ella para preguntarle:

—¿No piensa tomar nada? Hoy hay precios más bajos que de costumbre, en honor a nuestros clientes —informó con su voz grave.

—Sí, pero no aquí —se atrevió a decir Iris—. Voy a casa a tomar un trago de pasado.

—Eso está bien —repuso el hombre—. Del pasado al futuro sólo hay un paso. Digan lo que digan los maestros de zen, lo que no existe es el presente.

—¿Por qué dice eso?

—Le pondré un ejemplo fácil: la pregunta que acaba de hacerme es ya pasado. Y la respuesta que voy a darle está todavía en el futuro. Cuando usted la tenga, será pasado, y el futuro estará en otra cosa. No hay tiempo para el presente. Vamos del pasado al futuro, que nuevamente se vuelve pasado: ¡así es la vida!

—Entonces, según usted… —musitó ella—. ¿No hay nada que suceda en el presente?

El mago reflexionó unos segundos antes de responder enigmáticamente:

—Bueno, de hecho sí. Existen algunas cosas que pertenecen sobre todo al presente.

—¿Y cuáles son?

El mago pareció meditar un segundo, mientras se mesaba una barba inexistente. De pronto, todos los clientes habían dejado de conversar y les observaban en silencio. Hasta la luz parecía distinta, como si fuera un poco más intensa allí donde se encontraban ellos dos. Era como si el café se hubiera convertido de pronto en un pequeño salón de espectáculos donde un mago y su ayudante fueran a realizar un impresionante truco.

—La magia sucede en el presente —dijo el hombre, con un brillo de intensidad en la mirada.

—Yo no creo en la magia —repuso Iris.

—Entiendo... —hizo una larga pausa antes de continuar—. Me he fijado en que su chaqueta tiene bolsillos.

Iris asintió, desconcertada.

—¿Recuerda si llevaba algo en ellos?

Iris frunció un poco el ceño.

—Acabo de guardar en el bolsillo un regalo que me ha hecho un amigo, pero...

El mago la interrumpió:

—¿Le importaría decirle a estos señores qué cosas llevaba en los bolsillos cuando llegó aquí?

En ese momento, Iris se dio cuenta de que era observada por la numerosa clientela. Sintió un poco de vergüenza, pero encontró fuerzas para superar la timidez y participar en el juego.

—Llevaba las llaves de casa, unas monedas y algunos caramelos —dijo.

—¿Nada más? Piénselo bien.

Iris asintió: estaba segura.

—¿Podría comprobar qué hay ahora en sus bolsillos? Comience por el derecho.

A un gesto del mago, Iris extrajo las llaves y las mostró al público. Como había dicho, también llevaba cuatro caramelos envueltos en papeles de colores y un par de monedas, junto con la caja con el psicoanalista que le acababa de regalar Luca.

—¿Qué me contestaría si le digo que su otro bolsillo contiene las horas más importantes de su vida?

Iris no supo qué decir a algo tan extraño. Con enorme sorpresa, metió la mano en su otro bolsillo y descubrió que no estaba vacío. Había en él un objeto pesado y duro, que jamás había visto. Era un antiguo reloj de bolsillo, de caja dorada y esfera de marfil. Marcaba las doce en punto. Algunos años antes habría sido una pieza de enorme valor. Ahora sus agujas estaban roídas por la corrosión y habían dejado de funcionar.

El público lanzó una expresión asombrada al ver el artilugio.

—¿Pertenece este reloj a alguno de los presentes? —preguntó el mago, dirigiéndose a los espectadores.

Nadie contestó.

—Entonces, está claro que quien lo necesita es usted —añadió, y bajó la voz para decir—: Tengo entendido que hoy se ha sentado a la mesa del pasado.

—¡Pero aún no he recordado nada que hubiera olvidado!

—Es lo que tiene esa mesa —explicó, sonriente, el mago—. Funciona con efectos retardados. ¡Nos vemos en el futuro! ¡No deje de consultar el reloj! Le ayudará a comprender el tiempo.

Tras decir esto, el mago se volvió hacia los atentos espectadores y levantó la voz de nuevo para decir:

—Les ruego despidamos con un aplauso a mi ayudante de hoy.

Iris sonrió, incómoda, mientras recibía la entusiasta ovación, y se apresuró a salir de allí.

Aquel lugar era todavía más extraño de lo que había supuesto.

Un psicoanalista de bolsillo

Al llegar a casa, Iris puso una pizza en el horno mientras miraba con nuevos ojos lo que había sido su hogar desde pequeña. Tal como le había dicho Luca, estaba lleno de objetos que evocaban un pasado que se había roto con la muerte de sus padres. Además de las fotografías familiares, los objetos hablaban de momentos y lugares que ya nunca regresarían.

Mientras se quitaba el abrigo, se preguntó si no sería más sencillo arrancar el ancla y mudarse a un apartamento libre de toda aquella carga emocional. Un lugar donde pudiera elegir los recuerdos que debían acompañarla.

Eso la llevó a pensar en el curioso anuncio de periódico que había recortado:

PERRO PEQUEÑO BUSCA AMOR GRANDE

Sonrió ante ese mensaje y volvió a mirar la ilustración de aquel perrito que tanto se parecía a *Pilof*. De repente sintió el impulso de marcar el número.

El teléfono sonó tres veces antes de que al otro lado surgiera la voz reposada de una mujer. Le informó de que aquello era una protectora de animales situada en las afueras de la ciudad.

—¿Desea adoptar un perro o quiere visitar nuestra residencia? —preguntó la amable señora.

Iris empezó a sentirse avergonzada por haber llamado.

—La verdad es que el perro del anuncio es idéntico a uno que conocí de muy joven. Me gustaría llevármelo a casa —dijo sorprendiéndose de sus propias palabras.

Al oír esto, la anciana dejó escapar una risita antes de responder:

—Me temo que será imposible. No tenemos ningún perro que se le parezca. Es sólo una ilustración para el anuncio.

—Entiendo —repuso decepcionada.

—Pero tenemos otros perros pequeños que buscan un gran amor. Si nos visita, se los presentaré con mucho gusto.

—Lo pensaré —prometió Iris al despedirse.

Luego sacó la pizza del horno y la troceó antes de llevarla a la mesa. Mientras daba el primer bocado, se dio cuenta de que el asunto del perro la había hecho olvidar el regalo de Luca. Sacó el «psicoanalista de bolsillo» de su bolsa y regresó al salón, emocionada. Aquello, cualquier cosa que fuera, era la demostración de que Luca existía y había pensado en ella.

Al desenvolver el paquete vio, aturdida, que contenía un minúsculo sillón de goma con un reloj de arena disfrazado de terapeuta. En la caja rezaba: «*Psicoanalista de bolsillo. ¡No se marcha en agosto!*»

Luego leyó en el reverso de la caja:

> «*Todo el mundo ha pensado alguna vez en empezar una terapia. Pero, ¿por qué invertir una fortuna en un psicoanalista cuando lo podemos tener en casa, listo para escucharnos en silencio siempre que queramos?*»

Pensando que Luca se había propuesto tomarle el pelo, sacó de la caja una ilustración que indicaba cómo había que colocar el terapeuta de bolsillo para la minivisita de cinco minutos, el tiempo que tardaba en caer toda la arena de una parte a otra del reloj.

—Vamos a escarbar en el pasado —le dijo Iris antes de dar la vuelta al reloj—. Pero sólo quiero rescatar momentos bonitos. El resto puede descansar para siempre en el olvido.

Dicho esto, tomó un bocado más de pizza y fue en busca de un folio y un bolígrafo. Entonces dio la vuelta al reloj con cara de terapeuta. Se había propuesto anotar en ese tiempo todos los recuerdos inolvidables que, sin embargo, había sepultado la arena de la rutina.

COSAS QUE NUNCA DEBÍ HABER OLVIDADO

- *Las noches de insomnio en la vigilia de Reyes (y cómo corría al comedor a las siete de la mañana para desenvolver los regalos).*
- *El primer paseo en bicicleta sin caerme.*
- *Un viaje a Túnez con papá y mamá. Me dijeron que de vuelta al aeropuerto berreaba porque me quería quedar a vivir allí.*
- *El beso que me robó en un pasillo de la escuela el chico más feo de la clase.*

- *Olivier y Pilof.*
- *Una película dramática que a mí me hizo llorar de risa.*
- *Aquel amante del cámping que sabía abrazar tan bien (lástima que no duró).*
- *Cuando brotó el tulipán de la cebolla que me regaló alguien que había estado en Holanda.*

Al llegar aquí el psicoanalista de bolsillo dio por terminada la visita, ya que la arena ocupaba ahora la cápsula inferior. Había sido una terapia corta pero intensa. Iris tenía los ojos húmedos.

—Hasta mañana, doctor —se despidió.

Lo peor es también lo mejor

Aquel martes Iris decidió tomarse un día libre a cuenta de las vacaciones. No había dejado de acudir al trabajo desde la muerte de sus padres, así que se dijo que estaría bien vagar por las calles por el solo placer de hacerlo. Sin embargo, el jefe de turno no era de la misma opinión.

—Nuestro reglamento interno lo dice bien claro —la advirtió—. Hay que avisar con un mes de antelación.

—Es un caso de fuerza mayor —dijo Iris conteniendo la risa—. Voy a culminar un proceso de adopción.

El tono de voz del encargado pasó del estupor a la curiosidad:

—¿Vas a adoptar como madre soltera? ¿Es niño o niña?

—No lo sé todavía. Sólo sé que es un perro.

Luego colgó sabiendo que lo que acababa de hacer le podía costar el puesto o, como mínimo, una amonestación por parte de la empresa. Pero en aquel momento ese le parecía el menor de los problemas.

Tras tomar el anuncio de la protectora de animales —había anotado su dirección en el reverso—, decidió pasar antes por el café. Sería su tercer día consecutivo en *El mejor lugar del mundo*, pero la primera vez que visitaba el lugar por la mañana.

Aunque lo encontrara abierto a esas horas, se preguntaba si Luca estaría allí. Era de suponer que no, ya que en algún momento debía de trabajar. Recordó que le había dicho que era italiano, pero lo cierto era que todavía no sabía absolutamente nada de él.

Y ella quería saber.

Hacía un día despejado, así que paseó muy lentamente gozando del tibio sol invernal. Al atravesar el puente bajo el que pasaban los trenes, Iris sintió un escalofrío. Sólo tres días antes había estado a punto de acabar con todo allí mismo. En su vida no se había producido un cambio sustancial desde entonces, pero haber resistido la tentación de desaparecer le había permitido conocer el café mágico. Y ahora estaba a punto de adoptar un perro.

«La vida tiene giros extraños», se dijo mientras proseguía su camino sin mirar atrás.

El café estaba abierto y de su interior emanaba un agradable olor a chocolate y pastas recién hechas. Esto despertó el hambre de Iris, que se sentía de muy buen humor.

Empujó la puerta con decisión. En aquel momento el ilusionista abrillantaba la barra con un trapo húmedo.

Reconoció entre la clientela algunas personas que había visto en los días anteriores. Tal como había sucedido en su primera visita, nadie pareció reparar en ella mientras buscaba una mesa a la que sentarse.

Pero la búsqueda duró poco, ya que Luca la estaba esperando en una mesa arrimada a la pared. Iris sintió mariposas revoloteando dentro de su vientre. Hacía décadas que no experimentaba esa sensación.

El italiano levantó la vista y le sonrió mientras hacía girar la cucharita en una taza de chocolate cuyo aroma parecía envolver todo el local. Frente a él, otra taza idéntica y un plato repleto de bizcochos le estaban esperando.

—¿Sabías que iba a venir? —preguntó Iris.

Por toda respuesta, Luca sonrió. En aquel momento sonaba una canción que a ella le gustaba. Por primera vez en mucho tiempo, tuvo la certeza de hallarse en el sitio correcto en el momento oportuno. No deseaba estar en ningún otro lugar más que allí. ¿Sería eso la felicidad? Entender que el mejor lugar del mundo es aquí mismo.

Mientras Iris tomaba asiento, prestó atención a la primera estrofa de la canción de Feist, una cantante canadiense muy en boga:

Secret heart
What are you made of?
*What are you so afraid of?**

—¿Y bien? —le preguntó ella—. ¿Qué tiene la mesa de hoy?

Antes de responder, Luca se llevó la taza de chocolate a los labios. Mientras apuraba el primer sorbo, Iris admiró su jersey azul marino de cuello alto, del que brotaba una cabeza serena a la que los cabellos grises otorgaban un aire de aristócrata bohemio.

Luego dejó la taza sobre el platito y declaró:

—Esta es la mesa más terapéutica del lugar.

—¿Por qué? —preguntó Iris mientras el propietario le servía ya una taza de chocolate caliente.

—Porque nos enseña a encontrar luz en las sombras. Cuando te sientas en ella, entiendes que lo peor que te ha pasado a veces puede ser lo mejor.

Ella recordó una vez más el puente sobre los trenes, el globo pinchado y su descubrimiento del café. Sin embargo, fingió no entender nada. Le gustaba la paciencia con la que

* Del inglés: *Corazón secreto / ¿de qué estás hecho? / ¿de qué tienes tanto miedo?*

Luca le hablaba: la hacía sentir como cuando era pequeña y su padre le contaba historias para que se durmiera.

—Hace un año leí un artículo sobre este fenómeno —siguió él—. Un escritor japonés explicaba lo que le había sucedido a un oficial de su país durante la guerra de Manchuria. Al parecer, el militar había sido capturado por los soviéticos y fue arrojado al fondo de un pozo, donde sólo podía esperar morir de frío y de sed en la oscuridad. Pero dentro de su desesperación, una vez al día sucedía algo maravilloso.

—No puedo imaginar nada maravilloso que ocurra en el fondo de un pozo —añadió ella.

—Pues incluso en una situación tan desesperada, este hombre recibía un regalo diario. Cuando el sol se hallaba exactamente encima del pozo, la luz penetraba hasta el fondo durante unos minutos. El oficial lo describía como una explosión de brillante esperanza.

—¿Y qué le sucedió?

—Días más tarde fue rescatado por sus compañeros, que le salvaron la vida contra todo pronóstico. Sin embargo, muchos años después de que terminara la guerra, el oficial aún recordaba aquel episodio con melancolía.

Iris mojó un bizcocho en el chocolate espeso y se lo llevó a la boca antes de decir:

—No entiendo cómo alguien puede sentir melancolía de una vivencia tan terrible.

—¡Has dado en el clavo! —se entusiasmó Luca mientras ponía su mano sobre la de Iris, que deseó que se quedara allí para siempre—. Justamente porque vivía en la más oscura desesperanza, aquel rayo de sol era una inyección de gloria para él. Aunque el oficial logró rehacer su vida tras la guerra, aseguraba que jamás había vuelto a experimentar la felicidad de aquellos minutos radiantes en el fondo del pozo.

—Es una buena historia —dijo Iris sintiendo cómo su corazón latía con fuerza.

—Tan real como la vida misma. Y nos enseña algo sobre la felicidad: sólo la pueden experimentar en toda su intensidad los que han vivido grandes altibajos, porque es un juego de contrastes. Los que nadan siempre por el espectro medio de las emociones nunca conocerán la esencia de la vida. Esa es la enseñanza del pozo: a veces hay que tocar fondo para entender la grandeza del cielo.

—Hablas como un poeta. ¿Lo eres? Aún no sé nada de ti.

—Me limito a decir lo que dijeron otros —repuso con modestia—. Y esta mesa, además, esta cargada de esperanza.

Iris sonrió abiertamente a Luca mientras acariciaba su mano con las yemas de los dedos.

—¿Por qué no me cuentas algo de tu vida? No es justo que tú sepas tanto de la mía y yo...

Pero Luca parecía no escucharla. La interrumpió al decir:

—Como veterano de este café, te voy a poner deberes —dijo él de repente—. Quiero que desde esta misma mesa revises los peores episodios de tu vida y pienses lo mejor que surgió de ellos.

—Espero ser una alumna aplicada.

—Ya lo eres, pero antes de empezar debes ir a la barra y pedirle algo al mago.

—¿Al mago?

—Claro. Ya me he enterado de que sois buenos amigos —Luca sonrió mientras Iris se ruborizaba al recordar el número de la tarde anterior—. Me habría gustado ver el truco del reloj. ¿Sabes que eres una privilegiada? Hacía mucho tiempo que el viejo no actuaba.

—Fue muy especial... —balbucéo Iris, buscando el reloj en el bolsillo de su abrigo—. Aunque el reloj que me regaló es muy raro. Creo que funciona y no funciona a la vez. Mira.

Dejó el viejo reloj de bolsillo sobre la mesa. Sus agujas continuaban paradas a las doce en punto, igual que la tarde anterior, pero emitía un tictac casi imperceptible; sólo podía escucharse pegando la oreja a la esfera, lo cual demostraba que algo seguía funcionando en su interior.

—Es curioso —dijo Luca, escuchando con atención—. Tal vez el cometido de este reloj no sea medir el tiempo.

Luego levantó la mirada y recordó:

—El mago te está esperando.

Iris se dio cuenta de que el ilusionista sonreía. Luca concluyó:

—Quiere darte las buenas noticias.

—¿Buenas noticias?

—Ve a verle —se limitó a decir mientras besaba levemente la mano de Iris antes de soltarla.

Ella se dirigió a la barra sintiendo que los pies no tocaban el suelo. Pero antes de pedirle lo que le había dicho Luca, sintió la necesidad de agradecerle lo de la tarde anterior.

—Me gustaría volver a ver uno de sus trucos —dijo—. El de ayer fue maravilloso.

—Eso es imposible —contestó él, mientras sacaba brillo a las copas con mucha parsimonia, como si tuviera todo el tiempo del mundo.

—¿Por qué?

—¿Sabe cuál es el secreto de la magia? —preguntó el mago, deteniéndose de pronto.

—No tengo ni idea.

—La oportunidad. Hay un momento exacto para cada truco. Y presiento que tardará en darse otro como el de ayer. ¿Sabe usted por qué?

Iris se encogió de hombros.

—Un truco en el que no aparezca nada no merece la pena. ¿Lo había pensado? Por cierto, ¿ya ha descubierto qué fue lo que apareció ayer en su bolsillo?

—Un reloj.

—No es correcto.

Iris no sabía si reír. El aire del mago era grave y gracioso al mismo tiempo, en una combinación desconcertante.

—¿Qué, entonces? —preguntó ella.

—Eso deberá descubrirlo usted misma. Ahora, si no me equivoco, debo enseñarle algo, ¿verdad? —el ilusionista descolgó un cuadro de entre las botellas y se lo acercó a Iris para que pudiera contemplarlo de cerca.

Ya en sus manos, vio que dentro de un marco color índigo amarilleaba el recorte de un cuento para niños.

BUENAS NOTICIAS

Nunca olvides esto: todo sentimiento tiene su reverso. Sentirse desgraciado es prueba de que se puede estar contento.

Es una buena noticia.

Cuando te encuentras solo te das cuenta de lo bien que estarías acompañado.

Es una buena noticia.

Tiene que dolerte algo para que valores la felicidad de que no te duela nada.

Es una buena noticia.

Por eso nunca hay que temer a la tristeza, ni a la soledad, ni al dolor. Pues son la prueba de que existe la alegría, el amor y la calma.

Son buenas noticias.

Iris, devolvió el cuadro al mago muy pensativa. Al regresar a la mesa de la esperanza descubrió que Luca ya se había ido.

Metió la mano en su bolsillo y le tranquilizó sentir que el reloj seguía ahí. No entendía nada, pero había aprendido a no impacientarse. Sólo se dio cuenta de una cosa: en un solo día —el anterior— dos hombres especiales le habían regalado dos relojes.

Cuando el perro de la felicidad te lame la mano

Iris salió del café anhelando ya el próximo encuentro con Luca. Se estaba enamorando irremisiblemente de él y eso le daba miedo, porque hacía mucho tiempo que no le sucedía nada parecido. Y en otras ocasiones no le había reportado precisamente beneficios.

Para ella el amor había sido hasta entonces algo parecido a subir una escarpada montaña a toda prisa para, una vez en la cumbre, caer al abismo sin que nada ni nadie la sostuviera. No quería volver a pasar por eso. Por otra parte, sentía que con Luca había atravesado ya una especie de límite invisible que no le permitía volver atrás. De repente se le hacía impensable prescindir del café mágico y de las conversaciones con él.

Aun así, se movía en un mar de dudas. ¿Estaba siendo demasiado tímida? ¿Debía insinuarse, ir más allá? Iris había oído decir a sus compañeras de trabajo que, a su edad, los hombres tenían muy poca paciencia. Si la mujer en la que se han fijado no les allana un poco el terreno, simplemente echan el anzuelo en otras aguas.

¿Sería Luca un mero seductor? ¿Por qué nunca hablaba de sí mismo, como hacían la mayoría de hombres?

Mientras Iris pensaba en todo esto llegó a la protectora de animales, en las afueras de la ciudad, donde el perro pequeño buscaba un amor grande.

Un festival de ladridos y golpes metálicos contra las vallas le hizo saber que la colonia de canes abandonados era muy numerosa. Y por lo solitario del lugar, no parecía tener muchas visitas.

Tras llamar al timbre, se preguntó si sería cierto lo que había oído contar sobre las perreras: que sólo alimentaban a los animales por un tiempo limitado —unas semanas, a lo sumo—, y sacrificaban a los que no quería nadie.

Aquel pensamiento terrible se desvaneció cuando tras la puerta hizo acto de presencia la mujer que la había atendido por teléfono. Era una anciana de setenta y muchos años, de expresión jovial.

—¿Eres la del perro pequeño? —preguntó.

Iris asintió y la mujer la condujo, entre jaulas ocupadas por perros enloquecidos, hasta la sección de la perrera que albergaba los ejemplares de menor tamaño. Pasó de largo varios caniches de pelo deslavado y otros de raza mezclada que le parecieron agresivos. Finalmente se detuvo delante de una jaula donde había un perrito de patas cortas. Tenía el pelo blanco con manchas negras. Una le cubría un ojo y le hacía parecer un pirata.

Justamente ese era su nombre, como pudo saber cuando la anciana se agachó a acariciarle el hocico.

—¡Hola, *Pirata*!

El perrito empezó a mover la cola vigorosamente, mientras arañaba la reja con sus cortas patitas.

—No es tan diferente al del anuncio —dijo Iris mientras dejaba que *Pirata* le lamiera los dedos a través de la reja.

Mientras se dejaba seducir por aquel chucho desgarbado, recordó una frase que tenía de adolescente en un póster de su habitación: «A veces el desconocido perro de la felicidad me lame la mano y yo no sé dónde he puesto la correa».

—Es casualidad —comentó la anciana—. Ha llegado esta misma mañana. Y el perro del anuncio lo dibujó hace un mes nuestro veterinario. Ahora le conocerás.

Iris decidió adoptar al pequeño *Pirata* y la mujer le pidió que rellenara varios papeles, además de cobrarle un donativo para el mantenimiento de la perrera. Luego le pidió que se sentara mientras iba a buscar al veterinario, el cual le entregaría la cartilla de vacunación del perro y le daría algunas indicaciones.

Iris permaneció un par de minutos en la minúscula oficina, mientras del exterior le llegaba una polifonía de ladridos —agudos y roncos— de los que no habían tenido la suerte de *Pirata*.

Cuando la puerta se abrió, Iris no daba crédito a lo que estaba viendo. El veterinario era alguien que había conocido muchos años atrás. Pese a que se había convertido en un hombre algo grueso y prácticamente calvo, la expresión risueña en su cara ancha no admitía duda: era Olivier.

Los ecos del amor

—¿Y no te parece increíble que lo encontrara, justamente ahí, más de veinte años después? —preguntó Iris a Luca tras explicarle lo sucedido la tarde anterior.

El italiano la contemplaba con interés mientras la última claridad vespertina se deslizaba dentro del café, que ya había encendido sus luces amarillentas. Como los días anteriores, aunque la clientela charlaba animadamente, mantenían el tono de voz lo bastante bajo para que el resto de mesas no pudieran oír la conversación.

Mientras Luca hacía esperar su respuesta, Iris observó un rótulo de metal viejo que adornaba la salida del café, donde se habían sentado esta vez. No lo había advertido hasta entonces.

«ENTRA TRISTE, SAL FELIZ»

Así, de entrada, le parecía una promesa algo arriesgada, aunque era cierto que en aquel café sucedían pequeños milagros.

—El asunto del perro y el socorrista tiene fácil explicación si piensas un poco —razonó él—. Tú te fijaste en el perro del anuncio porque se parecía a ese chucho simpático que habías conocido de jovencita.

—¡Mítico *Pilof*! —exclamó Iris.

—De otro modo tal vez te habría pasado por alto —prosiguió Luca—. Por su parte, Olivier dibujó justamente a su compañero fiel cuando trabajaba de socorrista, porque debe de ser el ideal de perro que ha quedado en su mente. ¿Ves cómo no es ninguna casualidad?

—No entiendo adónde quieres llegar con todo esto.

—Quiero decir que el azar ordena el mundo más a fondo de lo que suponemos. Yo te he explicado cómo has llegado a tu amor platónico de adolescencia, pero hay algo más interesante que el hecho de haber reencontrado a ese tipo en una perrera.

—¿Ah, sí? ¿Qué es?

—Lo importante es saber por qué lo has encontrado justamente ahora y no hace cinco o quince años, por ejemplo.

Iris desvió la mirada hacia las manos largas y cuidadas de Luca, que se apoyaban plácidamente sobre la mesa mientras su chocolate se enfriaba. Deseó que aquellas manos abandonaran su reposo y fueran en busca de las suyas, pero su discreto compañero parecía demasiado ocupado en exponer su teoría:

—Si has reencontrado a Olivier en este momento de tu vida es porque ha llegado la hora de resolver algo pendiente.

—¿Qué insinúas con eso? —preguntó Iris dejando de sorber su taza.

—El azar es misterioso, pero también sabio. Si ha puesto al socorrista nuevamente en tu camino es por algún motivo. ¡Tal vez eres tú ahora quien debe salvarle a él!

La sensación de que Luca trataba de echarla en los brazos de Olivier no le gustaba en absoluto. Ahora que se estaba enamorando de él, lo último que deseaba era resucitar un amor adolescente que no la había llevado a ningún lado.

—Olvídate del veterinario —dijo Iris, contundente—. En su momento me pareció muy romántico lo del accidente en la nieve, el bol de sopa y todo eso, pero me siento patética al recordarlo. Ya no soy precisamente una adolescente.

—¿Por qué? —preguntó Luca divertido.

—Mientras mis compañeras de clase se divertían de fiesta en fiesta y tenían un amante por noche, yo esperaba como una boba la llegada del príncipe azul. Me refugiaba en sueños porque nunca he sabido luchar por las cosas que quiero.

—...hasta ahora —añadió él—. Con dieciséis años no te atreviste a afrontar el amor, por eso la vida te da ahora una segunda oportunidad para que lo hagas mejor. ¿No te parece excitante?

Iris estaba furiosa. Le parecía intolerable que alguien que estaba ganando tanto terreno en su corazón quisiera despacharla ahora con el primero que se había cruzado en su camino.

—Por favor, no te enfades —le rogó él—. Aquí no puedes hacerlo. Estamos en la mesa del perdón.

—No estoy enfadada ni tengo que perdonar nada a nadie —repuso, confusa y alterada.

—Es posible, pero creo que has olvidado perdonarte a ti misma.

—¿Perdonarme? ¿Por qué lo dices?

—Te lamentas continuamente de cosas que dejaste de hacer o que hiciste mal en el pasado, como si eso sirviera ahora de algo. ¿Por qué no te perdonas y aceptas que hiciste lo mejor que sabías en cada momento y lugar? La gente tiene derecho a evolucionar. ¡Y los años han de servir para algo más que echar canas!

—Hablas como un gurú —le recriminó Iris—. Y yo no le encuentro ninguna magia a la mesa del perdón.

—Pronto la descubrirás —dijo Luca con una sonrisa enigmática— ¿Conoces la historia del loro que decía «te quiero»?

Ella negó con la cabeza. Luego sorbió el resto del chocolate esperando que empezara a contarla. Le había gustado el título.

—La leí en el libro de un pediatra que canta canciones y hace dormir a los niños. Ahí va:

»La protagonista es una niña llamada Beatriz, que es huérfana de madre y su padre está siempre fuera de casa trabajando. Tras la muerte de su esposa, se ha vuelto un hombre distante y desatiende a su hija, que crece como una niña triste y solitaria. En la escuela la llaman "Raratriz", porque nunca quiere participar en los juegos de sus compañeros.

»Cada mañana desayuna en silencio junto a su papá, que después de ver las noticias sale corriendo a la oficina. Trabaja hasta tan tarde que cuando regresa a casa Beatriz ya está durmiendo.

»La niña se pregunta si su padre la quiere o ha llegado a este mundo por casualidad. No le perdona que nunca la abrace, ni le dé besos, ni le diga cosas bonitas. O es muy tímido, como ella, o es que sólo le interesa saber si ha hecho los deberes o si lleva el bocadillo del desayuno.

»Todos los días de Beatriz son iguales hasta que una mañana aparece un loro sobre las cuerdas de tender que dan a su habitación. El pájaro se mete en la casa y la niña pide a su padre por favor que le deje tenerlo. Tan frío como solícito, el padre se apresura a comprar una jaula y deja que la niña tenga el loro en su habitación. Éste empieza a repetir las palabras que ella le enseña cada tarde al volver de la escuela.

»Un día, sin embargo, el loro hace algo insólito. Cuando Beatriz se despierta de buena mañana, le dice: "¡Te quiero!" La niña se sorprende mucho e imagina que debe de haber oído esa frase en el culebrón de algún vecino que ve la televisión.

»Cuando, a la mañana siguiente, el loro vuelve a decir: "Te quiero", ella se extraña mucho, porque está segura de que no le ha enseñado esas palabras.

»La tercera mañana que el pájaro repite "Te quiero", Beatriz empieza a investigar. Le parece muy raro, además, que sólo le declare su amor por la mañana, ya que el resto del día se dedica a repetir las cosas que la niña le va enseñando.

»Antes de que su padre vaya a la oficina, aquella mañana Beatriz corre a explicarle aquel misterio por si se le ocurre alguna explicación. Como toda respuesta, el hombre se sofoca mucho y se apresura a salir de casa con su cartera en la mano. De repente Beatriz lo entiende todo y empieza a llorar, pero de felicidad. Ha comprendido que el loro repite cada mañana lo que oye por la noche: aquello que le dice su padre cuando entra en su habitación mientras está dormida.

El bazar de los niños

De camino a casa, Iris advirtió una suave luz frente al portal de su bloque. Al acercarse vio que eran dos fanales que iluminaban un mercadillo instalado por los niños de su edificio. Sobre un par de alfombras viejas exhibían juguetes electrónicos, muñecos, coches en miniatura e incluso discos compactos.

Se agachó frente a los pequeños vendedores y, mientras observaba su mercancía, les preguntó:

—¿Cómo es que estáis en la calle a estas horas?

Un niño pecoso que vivía en el apartamento encima del suyo le contestó muy serio:

—Nuestros padres nos dejan tener abierto hasta las nueve. Luego debemos recogerlo todo antes de ir a la cama.

—Es una gran idea —repuso Iris, sonriente—, pero ¿no sería mejor hacerlo el sábado por la mañana? Pasan más niños por aquí.

—Esto es el bazar nocturno —explicó una niña rellenita del mismo bloque—. Lo ponemos el primer miércoles y jueves de cada mes. Abre cuando volvemos de la escuela y cierra a las nueve.

Iris volvió a repasar la mercancía con la mirada y vio una cajita de cartón con un par de monedas para dar cambio. Luego preguntó:

—¿Y vendéis mucho?

La niña buscó con la mirada a sus dos socios, que se encogieron de hombros sin saber qué decir.

—Yo os voy a comprar este disco —les anunció tomando de la alfombra un viejo álbum de los Rolling—. ¿Cómo ha llegado hasta aquí?

—Mi padre lo tiene repetido —se justificó el primer niño que había hablado.

Acto seguido les preguntó el precio y los niños se quedaron mudos. Tras intercambiar varios susurros, la niña tomó la voz cantante y dijo una cifra muy modesta. Con aquello sólo llegaba, a lo sumo, para comprar unas cuantas chucherías.

Aun así, mientras recibían las monedas de manos de Iris, los dueños del bazar nocturno no podían contener la emoción, reflejada en sus caras.

Una vez en casa, donde *Pirata* la recibió con una serie de saltos que parecían imposibles para sus cortas patas, puso la canción del disco que más le gustaba.

It is the evening of the day
I sit and watch the children play
Doin' things I used to do
They think are new
I sit and watch
*As tears go by...**

Le divirtió pensar que aquella vieja balada se correspondía con la escena en la que acababa de participar. De algún modo había comprado su banda sonora.

* Del inglés: *Es el crepúsculo del día / Me siento a mirar los juegos de los niños / Hacen cosas que yo solía hacer / Ellos piensan que son nuevas / Me siento y los observo mientras las lágrimas corren por mis mejillas.*

Tras brincar describiendo varios círculos, finalmente *Pirata* fue a buscar su correa sobre el sofá y volvió con ella entre los dientes. Iris se volvió a poner el abrigo para dar un paseo nocturno con su pequeño amigo antes de preparar la cena.

Mientras se disponía a salir de casa, se dijo que no estaba tan sola como creía. En *El mejor lugar del mundo es aquí mismo* la esperaba su misterioso amigo, y en casa le aguardaría a partir de ahora un perro con el que compartir su vida.

Antes de cruzar la puerta, sonó el teléfono e Iris tuvo que resistir a un vigoroso tirón de *Pirata*, que estuvo a punto de hacerle perder el equilibrio. Para su sorpresa, era Olivier, que soltó lo que tenía que decir sin tapujos, como habría hecho un niño:

—¿Puedo verte mañana por la noche?

Sorprendida ante lo atrevido de la propuesta, necesitó un rato para responder:

—¿Le falta alguna vacuna a *Pirata*? En todo caso no son horas para...

—No es a *Pirata* a quien quiero ver —la interrumpió—, sino a ti. Me gustaría invitarte a cenar.

Aquello era una confirmación de lo que Luca le había dicho. Al parecer ella sería ahora quien había de socorrer a Olivier. Aunque sólo fuera para llevarle la contraria, su respuesta fue tajante:

—Lo siento, pero no puedo.

—Otro día, entonces.

—Te ruego que no insistas. Además, no me parece correcto tomar el número de teléfono de una adoptante para ligar.

Al terminar de decir eso, la misma Iris se sorprendió de que hubiera salido de sus labios. Entendió que había sido demasiado dura con él, así que añadió:

—Quizás otro día podemos tomar un café, y así de paso saludas a *Pirata*.

—Dalo por seguro.

—Sólo he dicho «quizás».

—Me gusta esa palabra —dijo Olivier, que se había vuelto más elocuente con los años—. Significa que todo puede suceder.

Tras esta inesperada conversación, Iris se dejó arrastrar por *Pirata* hasta la calle, donde los dueños del bazar nocturno abandonaron temporalmente su negocio para acariciarlo.

Mientras observaba nuevamente la mercancía iluminada por dos fanales de cámping gas, Iris tuvo una idea. Les preguntó:

—¿Aceptáis donaciones para vuestro bazar?

—¿Cómo dices? —preguntó la niña regordeta.

—Quiero decir si os puedo dar algunas cosas que ya no necesito para que las pongáis a la venta.

El niño pecoso dejó de ocuparse de *Pirata* para responder:

—De acuerdo. Te daremos la mitad de lo que saquemos... Si es que sacamos algo.

—No será necesario —repuso Iris—. De hecho, me haréis un favor quitándomelo de encima.

El arte de los haikus

Cuando ella entró en el café mágico, por quinto día consecutivo, Luca ya la estaba esperando. En aquel momento llenaba una pequeña taza sin asas con el líquido verduzco de una tetera de hierro colado. Por primera vez desde que le había conocido, no había chocolate sobre la mesa.

Al verla llegar, llenó muy lentamente una segunda taza. El chorro de infusión golpeaba el fondo de la porcelana con un arrullo suave y acariciante, como una fuente serena.

Iris tomó la taza entre las manos para calentarse, mientras preguntaba al improvisado maestro de té:

—¿Está reservada esta mesa para la ceremonia del té?

—No exclusivamente —respondió Luca aspirando el aroma de la infusión—. Recuerda que cada mesa tiene propiedades mágicas. Por lo tanto hemos de esperar algo más que unas tazas de té verde.

—¿Qué magia nos espera hoy? —preguntó ella apoyando las manos en la madera vieja.

—Es una mesa que convierte en poetas a los que se sientan a ella.

Luca había dicho esto en un tono tan serio que Iris estuvo a punto de echarse a reír. Sin embargo, se contuvo para no romper aquel juego delicioso que se había iniciado el peor domingo de su vida.

—¿Y si yo fuera ya poeta? —le preguntó ella para provocarle.

—Ese es el quid de la cuestión. Todo ser humano es poeta por naturaleza, lo que sucede es que la mayoría lo han olvidado. Esta mesa despierta esa facultad, que es una necesidad tan básica como comer, beber o dormir.

—O besar.

Iris se arrepintió de haber dicho estas palabras tan pronto como salieron de sus labios. Su inconsciente la había traicionado haciendo aflorar su deseo antes de que su parte consciente pudiera censurarlo. Sin embargo, aquello no pareció escandalizar lo más mínimo a su compañero de mesa.

—De hecho, la poesía es besar la vida misma. Podemos estar rodeados de belleza, pero si no interactuamos con ella, nuestra relación será de baja intensidad. Así como los amantes se excitan mutuamente y aumentan su deseo, también la belleza exige ser reconocida para desplegar todos sus encantos.

—No entiendo dónde quieres ir a parar. ¿Qué tiene que ver todo eso con esta mesa?

Él martilleó la madera con los dedos índice y medio, como un suave tambor que anunciara lo que iba a decir:

—A eso vamos. Esta mesa va a ser tu escuela en el arte de los haikus. ¿Sabes qué son?

Antes de que ella pudiera responder, Luca sacó del bolsillo de su americana un papel minúsculo y un lápiz. Depositó suavemente ambas cosas en el lado de la mesa donde estaba Iris. Luego volvió a levantar la tetera para llenar las tazas.

—Sé que son poemas japoneses, o algo así —contestó ella—. Pero, ¿no es demasiado pequeño este papel? ¡Casi no cabe nada!

—Es como una tarjeta de visita.

—Por eso mismo. ¿Qué esperas que escriba en tan poco espacio?

Luca parecía haber previsto esa pregunta, ya que respondió:

—¿Sabes lo que decía un famoso inversor norteamericano? Cuando le preguntaron qué tenía en cuenta para decidirse a financiar un proyecto, respondió: «No creo en ninguna idea que no pueda escribirse en el reverso de una tarjeta». Con ello quería decir que si algo necesita de muchas palabras para ser explicado, probablemente no es un buen plan.

—Eso es brillante, pero ¿qué tiene que ver con la poesía?

—Tiene mucho que ver, por no decir todo. El arte del haiku, que también es un arte de vivir, consiste justamente en decir mucho con muy poco. Normalmente la gente hace lo contrario. Por eso la vida se nos hace a veces tan pesada.

—¿Qué quieres decir?

—Tendemos a utilizar muchas palabras, muchos medios, mucho tiempo para nimiedades. Escribir haikus nos enseña a reducir la belleza del mundo a su esencia. Quien domina ese arte gozará de cada sorbo de la vida como de una *delikatessen*.

—Parece difícil. ¿Qué esperas que escriba ahí? —dijo mirando el lápiz y el pedazo de papel—. ¡Ni siquiera sé cómo se escribe un haiku!

Como si también hubiera esperado esa reacción, Luca intercambió una mirada con el mago, que abandonó sus quehaceres en la barra para seleccionar un disco de un estante. Cuando lo hubo encontrado, lo puso en el reproductor y empezó a sonar una lenta introducción de piano.

Iris había oído una vez aquella melancólica canción de Matinée, aunque hasta entonces no se había fijado en la letra:

if you want to learn the art of haikus
sit down
life is what happens beyond you

take pen and white paper if you want to
your hands
*are also a canvas or two**

Mientras las notas de piano volvían a flotar en el café, Iris se dijo que no necesitaba escribir en las palmas de sus manos, puesto que Luca le había proporcionado aquel papel. El problema era qué escribir.

La respuesta estaba en aquella misma canción de extraña armonía. La cantante decía ahora:

right now catch a view, a scene, a feeling
three lines
is all you need to depict it

feel how all things flow in the same river
your life
*is a raindrop you deliver***

* Del inglés: *si quieres aprender el arte de los haikus / siéntate / la vida es aquello que sucede más allá de ti mismo / toma una pluma y papel blanco si lo deseas / tus manos / también son un lienzo o dos.*

** Del inglés: *aquí y ahora captura una imagen, una escena, un sentimiento / tres líneas / es todo lo que necesitas para describirlo / siente cómo todas las cosas fluyen en el mismo río / tu vida es una gota de lluvia que tú mismo entregas.*

Con eso prácticamente terminaba la lección musical para iniciarse en el arte de los haikus. Mientras sonaban los coros finales de la canción, Iris se preguntaba qué podía escribir para no decepcionar a su acompañante.

Luca debía de haber notado su inquietud, ya que interrumpió el viaje de la taza de té que se estaba llevando a los labios para decir:

—No tienes que escribirlo ahora mismo. Esta mesa te está invitando a ser poeta. Sólo tienes que dejarte ir, y el haiku encontrará la manera de nacer.

—A mí no me parece tan fácil —confesó ella—. Sé lo que me gustaría expresar, pero no sé cómo. Te lo diré: estoy enamorada de alguien.

El italiano recibió esta noticia con una templanza que a Iris le pareció desesperante. Hubiera deseado que él le preguntara de quién estaba enamorada. Eso le hubiera permitido sincerarse, mostrarle unos sentimientos que cada día le costaba más contener. Sin embargo, Luca se limitó a sonreírle en silencio, como si lo único que quisiera de ella fueran tres breves versos en el papel.

Iris exhaló un suspiro antes de decir:

—De acuerdo, intentaré escribir ese haiku.

Lo que suma y lo que resta

Mientras paseaba a *Pirata* antes de cenar, Iris notaba cómo un sentimiento agridulce se agitaba en su interior. Por una parte se decía que debería sentirse feliz con la nueva marcha de su vida.

Además de conocer a alguien que le estaba enseñando todo lo que necesitaba para vivir, tenía un pequeño amigo al que dar gran amor. E incluso su enamorado de adolescencia había resurgido del pasado y la llamaba por teléfono.

Pero nada de eso le bastaba, porque el corazón se le había sublevado y la empujaba a entregarse a los brazos de Luca. Intuía que eso no era posible. No pensaba que pudiera estar casado o comprometido, pero algo —no podía explicarlo racionalmente— le decía que aquel anhelo era irrealizable.

De hecho, esa misma tarde al llegar a casa había intentado expresar en un haiku todo lo que sentía, pero el papel continuaba tan blanco como cuando él se lo había entregado.

Mientras meditaba todo eso, pasó junto al bazar de los niños y uno de ellos le recordó:

—Dijiste que tenías algo para darnos. Dentro de una hora cerramos la tienda y ya no abrimos hasta el mes que viene.

—Tienes razón —dijo Iris revolviendo el pelo al pequeño vendedor—. Si queréis subir a casa, os daré unas cuantas cosas para ampliar vuestro bazar.

—¡Yo quiero subir! —exclamó la niña.

Sus dos socios dijeron lo mismo y todos se enzarzaron en una discusión sobre quién debía quedarse al frente del negocio mientras el resto subía al apartamento.

—*Pirata* vigilará vuestro bazar —dijo Iris—. Aunque su nombre no inspire confianza, seguro que será un buen guardián.

Como si hubiera comprendido perfectamente la naturaleza de la misión, el perro se sentó acto seguido sobre una alfombra, entre los juguetes, y emitió un par de ladridos como aviso para los posibles ladrones.

Convencidos con aquel vigilante de corta estatura, a continuación los tres niños subieron muy alegres hasta el apartamento.

Al abrir la puerta y encender las luces, Iris se sintió como si viera todas aquellas cosas después de mucho tiempo. Siguiendo la filosofía de los haikus, se preguntó cómo podía reducir a su esencia lo que guardaba en el piso, qué cosas sumaban valor a su vida y qué otras lo restaban.

Buena parte de lo que adornaba la casa había pertenecido a sus padres, que ya no necesitaban nada, y sólo se convertía para Iris en un ancla que no le permitía abandonar el puerto del dolor.

—Podéis llevaros lo que os guste. De hecho, voy a deshacerme de casi todos esos recuerdos —dijo ella tomando una resolución.

Tras dudar un rato, la niña se llevó una reproducción en metal de la Torre Eiffel, ciudad donde la familia había viajado unas Navidades ya remotas. El niño pecoso escogió una vieja flauta que el padre de Iris había tocado cuando ella era pequeña. El otro se quedó con un ostentoso estuche que contenía un juego de cartas con el que la madre hacía solitarios.

Curiosamente, se sintió aliviada al ver cómo se llevaban aquellos objetos que tantos recuerdos encerraban. Y se dijo que en breve haría una limpieza de su pasado hasta dejar sólo aquello que la ayudara a vivir.

Tras bajar a buscar a *Pirata*, regresó con él al apartamento y le sirvió agua fresca y pienso como premio por su valiente vigilancia. Sacó de la nevera el primer yogur que encontró y se sentó en el sofá con el papelito en blanco en una mano y el lápiz en la otra.

El haiku se resistía a nacer.

Un presente interminable

—Mi vida no tiene ninguna importancia, te lo aseguro —dijo Luca, que aquella tarde de viernes parecía, por primera vez, tener prisa.

—Tú sabes muchas cosas de mí —le recriminó Iris—. Más de las que conoce ninguna otra persona en el mundo. Es justo, por lo tanto, que yo también quiera saber algo de tu vida.

—Me temo que te decepcionaría.

—Eso debo decidirlo yo, ¿no crees?

Luca asintió, dándole la razón. Ella prosiguió:

—Muy bien, entonces, quiero saber en qué trabajas.

—Ahora mismo estoy de vacaciones.

—¿Vacaciones? ¿En enero?

—Digamos que llevaba mucho tiempo sin tomarme unos días para mí.

—¿Vives cerca?

—¡Vivo aquí! ¿O es que no me encuentras siempre en el café?

Iris frunció los labios en una mueca:

—Te estoy hablando en serio. ¿No quieres decirme si vives en el barrio?

—Tuve un pequeño restaurante cerca de aquí. El Capolini. Ahora ya no existe.

—Capolini. ¿Qué significa?

—Es mi apellido.
—El caso es que me suena. Tal vez cené allí alguna vez. ¿Dónde estaba?
—Eso ya no importa.
—¿Y qué ocurrió para que lo cerraras?
—Me reclamaron en otra parte.
Se hizo un silencio compartido. Iris comprendió:
—¿Por qué no te gusta hablar de ti?
—Ya te lo he dicho: te decepcionaría. Y lo último que deseo es decepcionarte.
Iris se quedó un instante pensativa antes de sobreponerse a la negativa de Luca y proseguir la conversación:
—¿Es que estamos en la mesa del silencio?
—No exactamente.
—¿Cuáles son, entonces, las propiedades de la mesa número seis? —preguntó Iris anhelando la intimidad que habían tenido en días anteriores.
—Esta es una mesa secreta —explicó Luca con la mirada algo triste—. No estoy autorizado a contarte cuál es su magia. Ya lo descubrirás en su momento.
—Parece que no hay nada hoy que pueda saber. ¿Qué hago entonces contigo? ¿Por qué estamos en este café polvoriento?
—Ya sabes: el mejor lugar del mundo es aquí mismo —se limitó a decir el italiano, que parecía repentinamente incómodo.
El comportamiento de Luca presagiaba algo que Iris todavía no era capaz de imaginar. Y no era lo único distinto que había notado en el café mágico. Pese a que era un viernes por la tarde, la mitad de las mesas estaban vacías. Además, tanto el mobiliario como las paredes parecían haber envejecido desde la tarde anterior. Como si les hubieran caído encima varios años —o varias décadas— de golpe. In-

cluso los cristales que daban a la calle se veían tan rayados que apenas dejaban entrever el exterior.

Definitivamente, estaban pasando cosas que Iris no comprendía. Había algo esencial que se le estaba escapando.

Como si el ilusionista estuviera al tanto de la situación, al pasar junto a ella le dio un golpecito cariñoso en el hombro y le susurró al oído:

—Recuerda: hay algo que pertenece sobre todo al presente.

Este mensaje desconcertó todavía más a Iris, que tenía la impresión de entender cada vez menos lo que estaba sucediendo. Sin embargo se aferró a lo que le había dicho el ilusionista para tratar de salvar la tarde.

—Tienes que ayudarme a encontrar algo —empezó ella—. Por lo que he aprendido hasta ahora, el pensamiento siempre apunta al pasado o al futuro, ¿me equivoco?

—No te equivocas. Pensar es salir del presente para ir a pescar a las aguas del pasado o del futuro. Sin embargo, la experiencia es siempre presente. Esa es la ecuación.

—Está muy bien la teoría, pero yo necesito saber qué pertenece sobre todo al presente, de todo lo que vivimos. ¿Comer, por ejemplo?

—Lo dudo. El sabor está en el presente pero, en el acto de comer, la cocina pertenece al pasado y la digestión al futuro.

—Entonces para vivir el presente hay que encontrar una experiencia tan intensa que no necesitemos proyectarnos hacia delante o hacia atrás.

—Algo así. Una experiencia que permita detener el tiempo, vivir en un presente interminable.

—Sólo falta saber cuál es —dijo Iris.

—Los místicos la buscan desde hace siglos —repuso Luca, que parecía muy interesado por lo que Iris dijera a continuación.

—Pero ya se sabe cómo somos los humanos —continuó ella con repentina seguridad—. Buscamos lejos lo que tenemos cerca. Tal vez sea la magia de esta mesa, pero yo creo haber descubierto cómo detener el tiempo.

—¿De verdad?

—Ya sé qué tipo de magia está sobre todo en el presente.

Tras decir eso, Iris tomó entre sus manos la cabeza de Luca y acercó la suya hasta que sus labios se encontraron. Aquel primer beso pudo durar segundos o quizá minutos, pero los dos sintieron que se habían sumergido en un presente interminable.

Cómo escribir un haiku de amor

El sábado al mediodía, Iris se levantó de la cama con la determinación de escribir un haiku que entregaría a Luca tan pronto como estuviera terminado.

Con la ilusión de que el poema sellaría el amor que se había manifestado entre ellos la tarde anterior, tras desayunar frugalmente se sentó en la cama a leer un manual que había conseguido sobre el arte del haiku.

Su autor, Albert Liebermann, explicaba que consta de tres versos breves que retratan un determinado instante. Esta forma poética presta atención a detalles cotidianos, sean de la naturaleza o del entorno urbano del poeta. También puede capturar una emoción o un estado de ánimo concreto.

El haiku tradicional necesita tener, de acuerdo con el manual, los siguientes elementos:

1. *Tres versos no rimados.*
2. *Su brevedad debe permitir leerlo en voz alta en el tiempo de una respiración.*
3. *Preferiblemente, incluirá alguna referencia a la naturaleza o a las estaciones del año.*
4. *El haiku siempre describe el tiempo presente —aunque pueden omitirse los verbos—, nunca se proyecta al pasado o al futuro.*
5. *Debe expresar la observación o asombro del poeta.*
6. *Alguno de los cinco sentidos debe estar presente en los versos.*

Aquello estaba claro, pero no acercaba a Iris a su objetivo, dado que no escribía poesía desde muy pequeña. ¿Habría perdido la poesía innata con la que, según Luca, nacemos todos los humanos?

Tras preguntarse esto, siguió leyendo el manual de Liebermann. Al parecer, el arte del haiku aspira a conseguir el grado máximo de simplicidad. El poeta debe presentar las pinceladas desnudas, libres de todo artificio o barroquismo.

Antes de plasmar sus pinceladas —había cambiado el lápiz por una pluma estilográfica— sobre el papel que le había dado Luca, Iris leyó algunos de los haikus que incluía el libro. Uno de Kito le gustó especialmente:

El ruiseñor
unos días no viene,
otros viene dos veces.

Entre los autores clásicos de este arte, le llamaba la atención Issa, que había escrito haikus tan curiosos como este:

Se presenta
ante el respetable público
el sapo de este matorral.

Iris evocó esta imagen con una sonrisa. Luego volvió a su pluma y a su papel, iluminado por un valiente sol de enero.

De repente sintió que todo lo demás sobraba a la hora de escribir un haiku —restaba más que sumaba—, así que se quitó el pijama y la ropa interior hasta quedar desnuda sobre la cama. Con las piernas cruzadas y el sol como aliado, ahora se sentía preparada para dar nacimiento a los versos.

Recordó la definición que daba el poeta Basho sobre este arte: «Haiku es lo que está sucediendo en este lugar y en este momento».

Luego pensó en Luca y sintió cómo una corriente recorría todo su cuerpo. Él estaba ya tan presente en su vida que, desprovista de todo excepto de sí misma, lo sentía dentro de ella y a la vez también fuera.

Mientras el sol tibio calentaba su piel, Iris entendió que sólo debía retratar con humildad el acto mismo de escribir un haiku a la persona que amaba. Cuando la punta de la estilográfica se posó finalmente en el papel, sintió que su pulso se aceleraba:

La pluma en la derecha.
El corazón a la izquierda.
Y tú por todas partes.

La sexta mesa

Iris se vistió con la ropa más bonita que encontró en el armario y salió de casa con su modesto haiku en un bolsillo y con el reloj que le había regalado el mago en el otro.

Como todos los sábados al mediodía, las calles de su barrio estaban desiertas porque las familias ya se habían reunido alrededor de la mesa. Y ella se disponía a reunirse con quien era, además de *Pirata*, su familia y su vida entera.

Cruzó el puente y al bajar la calle vio con satisfacción el rótulo del café, que tenía las puertas abiertas. A medida que se acercaba, aminoraba el paso para aumentar la felicidad de entrar en aquel mundo escondido.

Sin embargo, al cruzar la puerta vio que todavía no había llegado ningún cliente. Sólo el mago se afanaba detrás de la barra. Decidida a esperar la llegada de Luca, Iris examinó con la mirada las seis mesas del café. Ya había estado en cada una de ellas, así que ahora dudaba en cuál debía sentarse.

Apoyada en la barra, estuvo un buen rato sin decidirse por ninguna, como si repetir mesa pudiera romper el hechizo de lo que había vivido en las jornadas anteriores. Hipnotizada por tantos momentos únicos, vivió otro presente interminable sin que nadie más que ella entrara en el lugar.

El ilusionista la vigilaba de reojo mientras iba tomando botellas de las estanterías y las metía en cajas. Luego hizo lo mismo con la vajilla y los vasos.

Tras despertar de su ensueño, Iris se dio cuenta de que el mago estaba retirando todo aquello que daba sentido al bar, que muy pronto se convertiría en un cascarón vacío.

—¿Cierra el local?

—No hay más remedio —dijo el hombre.

—Pero, ¿por qué? No faltan clientes.

—El número de clientes no es importante. Lo importante es lo que los clientes buscan aquí.

Confusa por lo que acababa de escuchar, Iris sacó el reloj de su bolsillo y dijo:

—No funciona. Es una lástima, porque es muy bonito.

—Sí que funciona. Aunque no lo hace del modo en que tú esperas —repuso el hombre, que ahora parecía más anciano que antes, mientras cerraba una de las cajas.

De pronto, a Iris la invadió un sentimiento de fugacidad, de tristeza por no ser capaz de retener nada de lo que ocurría a su alrededor.

—Nunca me ha dicho su nombre —dijo ella.

El mago se detuvo, como si necesitara pensar para acordarse de cómo se llamaba.

—El nombre de un mago no es importante. Lo que cuenta es que la función merezca la pena. Es lo que el público retiene, y a nosotros nos queda el aplauso final.

Cuando el mago hubo terminado con las cajas, salió de la barra y se encontró frente a frente con la mirada interrogativa de su única cliente, que parecía dispuesta a no moverse de allí.

La miró con cierta compasión antes de decirle:

—Es inútil que le espere. No vendrá.

—¿Por qué? —preguntó Iris repentinamente asustada.

—La de ayer era la mesa de las despedidas. Quienes la ocupan no vuelven a encontrarse jamás.

SEGUNDA PARTE

El tictac de la vida

Un río de tristeza que corre hacia el océano

De vuelta a casa, Iris no dejaba de pensar en Luca, que por primera vez no había aparecido. Estaba enfadada a pesar de que no había ninguna razón para ello: al fin y al cabo, no se habían citado. Pero tampoco lo habían hecho los otros días y, sin embargo, él siempre había estado esperándola.

Para ella era mucho más fácil comprender las razones de su tristeza: aunque le costara reconocerlo, la sola idea de no volver a ver a Luca se le hacía del todo insoportable.

Vagó un rato por las calles desiertas de su barrio. Ahora la luz del sol ya no le parecía tan alegre como antes, y el silencio de primera hora de la tarde le parecía opresivo.

Lo primero que hizo al regresar a casa, tras atender a los brincos de alegría de *Pirata*, fue quitarse el abrigo y encerrarse en el cuarto de baño. Necesitaba relajarse con una ducha bien caliente. Y también llorar.

Llorar en la ducha era una costumbre que había adquirido de adolescente, cuando se sentía incomprendida por sus padres. La adolescencia pasó, pero la costumbre se había quedado con ella para siempre.

Iris se dispuso a cumplir con su viejo ritual contra la desesperación: abrió el grifo, esperó a que se calentara el agua y se colocó justo debajo del chorro de la ducha, con los ojos cerrados y los brazos extendidos a ambos lados del cuerpo. Permaneció allí durante un buen rato, pensando en toda su tristeza, que en aquel momento se estaba escapando por el desagüe, como un río que corre derecho hacia el mar. Imaginó que cuando su tristeza llegara a los océanos del mundo, todas las razas marinas que tropezaran con ella se sentirían de pronto un poco más desgraciadas.

Fue así, imaginando a centenares de ballenas deprimidas, a miles de medusas, delfines, focas, todos tristes por su culpa, que consiguió volver a sonreír, aunque sólo tímidamente.

«Si Luca supiera en qué estoy pensando me tomaría por loca», se dijo justo un instante antes de cerrar el grifo.

Pero tenía cosas que hacer. La ducha «arrastratristezas» había dado resultado, porque sentía que había llegado la hora de las decisiones.

Se puso los pantalones de algodón que siempre llevaba para andar por casa, consultó su agenda y marcó el número de teléfono de una inmobiliaria del mismo barrio. Al escuchar una voz que respondió a su llamada se dio cuenta de que era muy extraño que trabajaran en sábado.

—Pensé que no iba a encontrar a nadie —dijo, asombrada.

—Llevo aquí pocas semanas. Aún no puedo permitirme librar los sábados.

Se hizo un silencio incómodo, que rompió la desconocida:

—Puede llamarme Ángela, ¿en qué puedo ayudarla?

—Quisiera vender mi piso.

Nunca hubiera imaginado que le resultaría tan fácil decirlo. No había sido consciente hasta entonces, pero la decisión estaba tomada desde hacía semanas. Tras conocer el accidente de sus padres, al volver a aquel piso vacío pero tan cargado de recuerdos, supo que sería incapaz de vivir allí. Pero una cosa es pensar las cosas y otra muy diferente es hacerlas.

Iris se acordó de Luca y de la historia del pozo: también ella había sabido encontrar un regalo dentro de aquella situación desesperada. El regalo era su decisión. Sin saber por qué, algo comenzaba a cambiar en su interior.

—Muy bien, voy a tomar nota —dijo Ángela—, ¿cuándo quiere que venga a visitarla?

—Lo antes posible. ¿Podría ser hoy?

—No es lo habitual, pero a mí no me importa. Así salgo de esta oficina tan aburrida. ¿Le parece bien dentro de una hora?

—Me parece perfecto.

Satisfecha por lo que acababa de ocurrir, Iris se decidió a escuchar los mensajes del contestador. La voz metálica le informó de que tenía dos. Como sospechó enseguida, ambos eran de Olivier.

«Hola, Iris. Te llamaba por si te apetece que tomemos el café que tenemos pendiente —hizo una pausa, como si pensara las palabras que iba a decir a continuación—. La verdad es que cuanto más pienso en nuestro encuentro después de tanto tiempo, más extraño me parece. Quería saber si a ti te ocurre lo mismo. Bueno —titubeó—, ya me llamarás. Adiós.»

Con una mueca de fastidio, Iris se dispuso a escuchar el siguiente, aunque lo hubiera borrado de buena gana. Olivier lo había dejado una hora después del primero:

«He pensado que, si lo prefieres, podríamos ir al cine. Estaré esperando tu llamada. Hasta luego.»

Iris hizo caso omiso de la penúltima frase y pensó que aún tenía algo que hacer antes de que llegara la chica de la inmobiliaria. Buscó el haiku que había dejado en el bolsillo del abrigo, lo arrugó y lo lanzó a la papelera del cuarto de baño.

Estuvo tentada a hacer lo mismo con el reloj de bolsillo, pero en el último momento sintió lástima por el viejo cacharro, cuyas agujas seguían detenidas en las doce en punto, a pesar de que en su corazón sonaba aquel lejano tictac.

Lo volvió a guardar en el bolsillo, puso un disco en el reproductor del salón, se sentó en el sofá y cerró los ojos.

Comenzaba a sentirse mucho mejor.

El pasado de unos es el futuro de otros

—¿Te importaría explicarme por qué quieres vender este piso? —preguntó Ángela, tras una visita durante la cual no había parado de tomar fotografías.

—Este lugar pertenece al pasado —fue su única respuesta.

Ángela rellenó una ficha con todos los datos —características, precio, horas de visita— y se comprometió a comenzar a enseñarlo enseguida.

Cuando ya se iba, se detuvo en el rellano y le dijo:

—Tal vez el lunes pueda traer las primeras visitas. La gente busca cosas por esta zona, y pisos como el tuyo no abundan.

—¿Crees que costará encontrar comprador?

Ángela entrecerró un poco los ojos antes de contestar:

—El pasado de unos es el futuro de otros.

Iris asintió satisfecha. Nunca había sido tan resolutiva y eso le gustaba: acababa de descubrir que aún era capaz de sorprenderse a sí misma.

Su siguiente paso sería comenzar a buscar alguna pista que la llevara hasta Luca.

Consultó una vieja guía de restaurantes de la ciudad, en busca de uno que se llamara Capolini. No encontró ninguna pizzería con ese nombre. Tampoco en el servicio de información telefónica, al que llamó a continuación, supieron decirle nada. Comenzó a temer que Luca la hubiera engañado en todo. Pero, ¿por qué? ¿Cuál era la finalidad? Él no parecía de ese tipo de personas.

Aturdida por todo lo que estaba sucediendo, decidió salir a dar una vuelta. Pasaría por su café mágico. Tal vez hubiera ocurrido un milagro. Después de todo, si algo había aprendido aquellos días era que se trataba de un lugar muy poco común, donde todo era posible. No le parecía tan extraña la idea de encontrarlo exactamente como el primer día, con su rótulo restallante y su amigo el mago acodado en la barra del fondo, a la espera de los clientes.

Pirata se puso como loco de contento cuando vio que su ama tomaba la correa, señal de que se disponían a salir. Iris se envolvió en su abrigo y ambos se lanzaron a recorrer las calles del barrio.

De camino hacia el café, se fijó como nunca en los rótulos de todos los locales. Buscaba uno muy concreto, con un nombre que evocaba un apellido italiano: Capolini. Pero no encontró nada parecido en su recorrido de siempre. Tan absorta estaba que ni siquiera miró a las vías del tren cuando pasó por el puente.

Hacía un frío intenso y estaba anocheciendo. Cuando Iris llegó al lugar donde había vivido tantos momentos de magia, al principio creyó que la oscuridad la estaba confundiendo. Luego se acercó un poco más, sin poder dar crédito a lo que veían sus ojos.

El mejor lugar del mundo es aquí mismo ya no estaba allí.

No quedaba ni rastro del panel luminoso estropeado y las ventanas estaban cubiertas con tablones de madera. La puerta estaba cerrada y en el buzón se acumulaba la publicidad. Era como si llevara cerrado mucho tiempo.

«Esto sí es un truco de magia», pensó Iris, confusa, antes de tirar de la correa de *Pirata* para que le acompañara en su desconcertado camino de vuelta a casa.

Tres meses de vida para las mentirosas

El fin de semana transcurrió sin pena ni gloria. Iris se levantó tarde después de una noche inquieta. Apenas probó bocado en todo el día y se limitó a ver la televisión durante horas, con la cabeza en otra parte.

Finalmente el domingo por la tarde, cuando dormitaba en el sofá sin ganas de hacer nada, sonó el teléfono. Era Olivier.

—¿Es necesario que utilice la excusa de las vacunas de *Pirata* para volver a verte? —preguntó tan amablemente que no le fue posible ser sincera con él.

No le dijo que le estaba esquivando. Ni que el único hombre con el que deseaba salir en aquel momento había desaparecido de su vida sin dejar rastro.

—Conozco un sitio estupendo de combinados tropicales —informó el veterinario—. Sería estupendo que me dejaras invitarte a uno.

—Estoy resfriada —mintió Iris—. Mejor otro día. Necesito descansar.

—No me gusta que estés enferma, pero en realidad es un alivio, ¿sabes?

—¿El qué?

—Saber que no me estás dando esquinazo —dijo Olivier—. Te prometo que volver a encontrarte es lo mejor que me ha pasado en años. Ha sido como un milagro. Me estás rescatando de una vida insoportable.

Iris no pudo evitar que aquellas palabras le recordaran a Luca y a lo que le había dicho acerca de la reaparición de Olivier. «El azar ordena el mundo más a fondo de lo que suponemos», recordó.

Animada por estos pensamientos, y también porque se sentía un poco culpable por mentirle a Olivier, preguntó:

—¿Por qué crees que tu vida es insoportable?

—Es aburrido incluso contarlo —hizo una pausa—. ¿A ti no te pasa a veces que te aburre tu propia vida?

—Supongo que sí. Pero debe de ser porque tengo un trabajo muy rutinario.

—No tiene nada que ver. Creo que todos nos aburrimos de nosotros mismos y de nuestras rutinas, por fabulosas que sean. Una vez me dijo alguien que el aburrimiento se cura imaginando que tu propia muerte está muy cerca. Tal vez podríamos intentarlo. Imaginar que nos queda poco tiempo de vida. Pensar en qué lo aprovecharíamos.

Iris también comenzaba a encontrar aburrida aquella conversación. Pero como no se atrevía a decir nada, Olivier continuaba hablando, y su voz sonaba débil, como si se avergonzara de lo que estaba proponiendo:

—Imagina que sólo nos quedan tres meses de vida y que los vas a emplear en hacer diez cosas a las que no quieres renunciar. Podríamos pensar en esas diez cosas. ¿Te apetece?

Un silencio profundo fue más elocuente que cualquier palabra que Iris pudiera haber dicho.

—Perdona, me estoy poniendo pesado con estas cuestiones tan metafísicas. No quería marearte.

Iris se dio cuenta de que le había ofendido y se apresuró a decir algo:

—No me mareas. Es sólo que estoy muy cansada.

—Claro. Lo siento. Buenas noches. Llámame cuando quieras.

Y colgó.

Iris se quedó un momento pensativa: a veces la timidez hacía parecer a Olivier un ser frágil. En el fondo, continuaba siendo el mismo que conoció en el refugio, veinte años después. Bajo su caparazón de hombre maduro asomaba constantemente el jovencito inseguro. Eso le gustaba de él, aunque no quisiera reconocerlo.

Cuando colgó el teléfono no tenía la menor intención de hacer la lista de las diez cosas que le había propuesto. Sin embargo, a medida que avanzaban los minutos comprobó que no lograba apartar la idea de su cabeza. ¿Qué haría si le quedaran sólo tres meses de vida? ¿A qué sería capaz de renunciar y a qué no? Una vez había leído en un viejo libro de aforismos religiosos: «Vive cada día de tu vida como si fuera el último».

Tomó un papel y un bolígrafo y comenzó la lista. Escribió:

DIEZ COSAS QUE HACER ANTES DE MORIR

- *Encontrar a Luca (aunque sólo sea para despedirme de él)*
- *Besar a alguien a quien ame (y que me ame) con locura*
- *Ver una nevada descomunal*
- *Probar la comida japonesa*
- *Reír a carcajadas como una loca*
- *Ir al concierto de un grupo de música que me guste*
- *Vender el piso de papá y mamá*

- *Dejar el trabajo*
- *Tener una amiga de verdad*
- *Teñirme el pelo de rojo*

Observó la lista con extrañeza. Al leer y releer sus mayores deseos, tuvo la impresión de que ninguno de ellos era muy difícil de cumplir, y sintió el enorme deseo de comenzar inmediatamente.

El sueño la venció antes de que pudiera plantearse cómo.

Un lunes no tan horrible

Tal como le había prometido, el lunes por la mañana Ángela se presentó acompañada de un señor alemán altísimo que deseaba ver el piso. Él y su esposa, un matrimonio jubilado y sin hijos, buscaban algo por el barrio. El cliente exigió ver hasta la última tubería y el último interruptor.

—Intentaré convencerle de que en esta zona no van a encontrar otro como éste —le susurró Ángela mientras el visitante echaba un vistazo a la terraza—. ¿Qué te juegas a que lo consigo? No sería la primera vez. ¿Te he contado que antes de trabajar aquí era peluquera?

Iris negó con la cabeza.

—Tenía una fama... Cuando una clienta llegaba pidiendo sólo un corte de pelo y terminaba poniéndose extensiones de colores, todos sabían que había pasado por mis manos.

Iris la creyó. Ángela exhibía una simpatía explosiva que no dejaba a nadie indiferente.

Aprovechando que el alemán se entretuvo midiendo una de las habitaciones, Iris le formuló la pregunta que llevaba horas rondando por su cabeza:

—¿Conoces un café en el barrio que se llama *El mejor lugar del mundo es aquí mismo*?

—No me suena —respondió Ángela—, ¿dónde está?

Iris le detalló la ubicación que tan bien conocía. Ángela ni siquiera la dejó terminar.

—Ese local no es ningún café, sino un antiguo almacén. Está vacío desde hace no sé cuánto. ¿Te interesaría verlo? Tengo las llaves.

Asombrada, Iris ni lo dudó.

—¿Podrías enseñármelo?

—Por supuesto. Le diré a mi jefe que eres una posible compradora. No hay problema. Lo ha visto mucha gente, pero nadie se lo queda.

—¿Por qué? ¿Cuál es el problema?

—Espera a verlo y lo sabrás.

Nada más despedir a los clientes, Iris dejó a *Pirata* un cuenco lleno de comida. Luego se marchó al trabajo, donde supuso que la esperaba una jornada dura y llena de reproches.

No se equivocó. Después de que no acudiera a trabajar para ir a adoptar a un perro, su jefe estaba resentido con ella. Se notaba en la tensión que se generaba cada vez que le dirigía la palabra. Por suerte, no le hablaba muy a menudo.

Por lo demás, la jornada fue tan aburrida como de costumbre. Hubo oleadas de llamadas y los habituales oasis sin ellas. En uno de los momentos de máximo aburrimiento, sintonizó una emisora de radio por Internet y se entretuvo un poco escuchando la letra de una canción que le gustó:

Dreams are ready
to be true.
Just make them happen:
This life is a blank page
*Write here what you want.**

* Del inglés: *Los sueños están listos / para hacerse realidad. / Sólo deja que ocurran / Esta vida es una página en blanco / Escribe en ella lo que quieras.*

Como si fuera la banda sonora de su vida allí y entonces, una llamada entró mientras terminaba de escuchar aquella envolvente melodía.

Al principio no reconoció la voz masculina que entró por los auriculares desplazando la música:

—Quisiera informarme acerca de un seguro.

—Muy bien —contestó Iris con su tono más profesional—. ¿Qué clase de seguro?

—¿Cuál me recomienda? Soy hombre, estoy sano y soltero. Conduzco un coche pequeño y tengo enormes ganas de vivir por primera vez en mucho tiempo. Y todo gracias a una chica.

Iris reconoció la voz.

—¿Olivier?

—¿Necesitas también los apellidos?

—¿Qué estás haciendo?

—Ya que no consigo verte de otro modo, he decidido hacerme un seguro. Me gustaría hablarlo personalmente contigo.

—¡Estás loco!

—Completamente de acuerdo. Por ti. ¿Cuál me aconsejas? He pensado que uno de vida estaría bien. Por cierto, ¿hiciste los deberes?

—No puedo hablar ahora. Estoy bloqueando la centralita.

—¡Pero es una cuestión de trabajo!

—Tendría que pasarte con uno de nuestros agentes.

—Yo no tengo nada que decirle a uno de vuestros agentes.

—Es lo que se hace normalmente. Necesitas información.

—Pensaba que tú podrías informarme de todo.

—Deberías pasarte por aquí.

—¡Eso está hecho! ¿A qué hora sales?

—A las nueve y media.

—Entonces vengo a las nueve, me informas de todo y luego te invito al bar hawaiano. No valen excusas.

Iris estaba sonriendo, aunque él no pudiera verlo. Recordó de nuevo la letra de la canción y pensó que había llegado el momento de escribir algo que valiera la pena en la página en blanco de su vida. O, por lo menos, de intentarlo.

—Muy bien —contestó—, pero en lugar de combinados hawaianos preferiría comida japonesa.

—Perfecto. Soy experto en sushi y sashimi. Te veo a las nueve, princesa.

Durante lo que quedaba de jornada laboral, Iris no pudo borrar la sonrisa de sus labios. Ni siquiera cuando su jefe le recriminó que hubiera bloqueado la centralita. Y no precisamente de buenos modos.

Una cena a la luz de la fortuna

Olivier había reservado mesa en el Ojiro, un restaurante japonés recién inaugurado en el centro de la ciudad.

—He pensado que en una ocasión así bien merecía la pena salir de tu barrio —le dijo con su voz suave, nada más arrancar el motor del coche.

Había poco tráfico a esas horas y en lunes. En menos de un cuarto de hora traspasaron la puerta de diseño del local y se adentraron en un mundo que para Iris era totalmente nuevo.

Les asignaron una mesa en un rincón. La carta estaba escrita en japonés y en español, pero Iris no entendía nada en ninguno de los dos idiomas.

—Elige tú —le dijo, claudicando.

A Olivier pareció encantarle la idea. Cuando se acercó la camarera, vestida con un elegante kimono, se encargó de pedir algunos de los platos de la carta y un par de cervezas japonesas. Lo dijo con una seguridad que Iris no le había descubierto todavía.

—Tomaremos sopa de miso seguida de tres platos, como en una comida japonesa tradicional —le explicó.

—¿Tres platos?

—Sí, lo aprendí durante el año que viví en Osaka, en un intercambio universitario de la facultad de veterinaria. Los japoneses dan mucha importancia tanto a la elección de las materias primas como a la presentación. Los tres platos de nuestra cena están elaborados con tres técnicas diferentes —hizo una pausa para mirarla fijamente, como si calibrara la conveniencia de continuar, o temiera meter la pata; luego, prosiguió—: el primero se sirve crudo, el segundo está poco cocinado y el tercero requiere una elaboración lenta. Para ellos, es un modo de recordar que en la vida todo tiene valor: lo simple pero valioso, lo que podemos conseguir a corto plazo y lo que tardamos mucho tiempo en lograr. Al final, todo termina con una taza de té verde y amargo, como la muerte.

—¿Y qué sería nuestra cena si fuera un solo plato? —se atrevió a preguntar Iris—. ¿Algo crudo, poco cocinado o preparado a fuego lento?

—Está claro. Nuestro reencuentro es un plato de *nabemono*. Es decir, un suculento guiso hecho en una cazuela durante largas horas de cocción. Mucho más que eso: esta cena ha necesitado casi veinte años para gestarse.

—¿Y qué vendrá después del té verde? —preguntó ella con falsa ingenuidad.

—Eso nadie puede saberlo. Lo importante es llegar al té estando saciado, porque después ya no hay vuelta atrás.

—¿Qué quieres decir?

Iris observó que hablar de aquello infundía a Olivier una curiosa seguridad. Incluso su voz sonaba más firme:

—Que nadie consigue una muerte feliz si siente vacío el estómago de la vida. ¿Sabes que hay gente que incluso ha regresado de la muerte para terminar algo que dejó a medias? Antes de marcharte, debes hacer las paces con el mundo y con la gente a la que quieres. Empezando por ti mismo.

—¿Opinas entonces que morir nos importará menos?

—Claro. Si la vida ha sido plena, morir se vive como algo natural. El té caliente tras un buen almuerzo.

Tras unos segundos de silencio, llegó la camarera cargada con una bandeja.

—¡Me gusta la idea de ver la vida como un almuerzo! —exclamó Iris—. ¿Y yo? ¿Qué tipo de plato soy?

Le pareció que le temblaba un poco la voz, como a un adolescente que se declara por primera vez, al decir:

—Tú eres un bol repleto de arroz blanco. Algo que nunca puede faltar. Sencillo pero nutritivo. Ni muy cargante ni muy ligero. Valioso en su propia naturaleza, ya que tiene la capacidad de absorber todos los sabores de la vida.

Iris sintió que sus mejillas se sonrojaban. Hacía años que no le ocurría.

Junto a dos toallas calientes y húmedas, la camarera depositó sobre la mesa dos cervezas Ebisu. Se frotaron las manos con las toallas y las dejaron de nuevo sobre la bandeja diminuta.

A continuación, Iris sirvió la bebida y levantó la copa.

—Brindo porque hoy se han cumplido dos deseos de mi lista. Tenía muchas ganas de probar la comida japonesa, y aquí estoy, a punto de hacerlo.

—¿Y cuál era el otro?

—Me he despedido del trabajo.

Olivier esbozó una expresión de consuelo, pensando que sería necesaria.

—Oh, ¡no te preocupes! No me importa lo más mínimo. Es más, ya era hora de que me atreviera a hacerlo. Nunca hubiera pensado que sería capaz. Ya sólo quedan ocho puntos en mi lista de cosas que hacer antes de morir.

—Entonces es una magnífica noticia. ¡Brindemos por ella!

Después del tintineo de las copas y del sorbo correspondiente, Olivier preguntó:

—¿Has pensado en qué vas a ocupar ahora tu tiempo?

—Dormiré, pasearé a *Pirata*, buscaré a un amigo perdido... También espero vender el piso de mis padres. Así podré mudarme a un apartamento donde el pasado no esté por todas partes. Y, si puede ser, desde donde se vea el mar. Es uno de mis sueños.

—Vaya... Veo que se acercan grandes cambios en tu vida. Espero formar parte de ellos.

Iris bajó la vista con timidez.

Olivier le mostró entonces la etiqueta de la cerveza con la que acababan de brindar.

—Esta cerveza te dará suerte, ya lo verás. ¿No has visto cómo se llama?

Iris se encogió de hombros, dando a entender que el nombre de «Ebisu» no le sugería absolutamente nada.

—Ebisu —explicó Olivier— es uno de los siete dioses de la fortuna japoneses. Seguro que se encargará de que se cumplan los ocho deseos que aún tienes pendientes.

«Ojalá», pensó Iris mientras bebía un largo trago de la cerveza de la fortuna.

Un pedazo de otro mundo

El primer día sin obligaciones ni prisas comenzó con *Pirata* observándola con cara de extrañeza. Parecía preguntarse a qué venía tanta holgazanería. ¿No se daba cuenta de que hacía horas que debían haber salido de paseo, como todas las mañanas?

Invadida por una inesperada sensación de serenidad, Iris se preparó un té verde y se sentó a la mesa de la cocina para tomárselo sin prisa. Luego se dio una ducha, se puso ropa cómoda —nada que ver con el tipo de prendas que llevaba para ir a la oficina— y buscó la correa de *Pirata*.

Al llevarse la mano al bolsillo, tropezó con el reloj estropeado. Lo acercó a su oreja para comprobar que aquel tictac lejano y extraño continuaba latiendo. Por incomprensible que fuera, algo en el corazón del reloj continuaba vivo.

«Creo que lo llevaré a reparar», se dijo mientras abría la puerta.

Fue un paseo más largo de lo habitual. Como a esa hora apenas había nadie en el parque, dejó libre a *Pirata* para que olisqueara a su antojo los matorrales. Se sentó un rato a disfrutar de la mañana despejada y fría mientras se envolvía en el abrigo.

Al salir del parque, amarró a *Pirata* al tronco de un árbol y entró en la relojería del barrio.

—Funciona y no funciona al mismo tiempo —explicó al señor con aspecto de búho que le atendió tras el mostrador.

El relojero se tomó su tiempo para observar aquella antigüedad que acababa de caer en sus manos. Levantó el reloj de bolsillo del mostrador con extrema delicadeza, como se trata a las cosas de mucho valor.

—¿Se ha caído? —preguntó.

—No lo sé. Cuando me lo regalaron ya estaba así.

El hombre continuó con su exploración. Miró la esfera con una pequeña lente de aumento sujeta a sus gafas. Acto seguido, escuchó aquel tictac casi imperceptible y buscó el modo de abrir la caja. Finalmente dijo:

—Sólo un momento, tengo que llevarlo al taller.

Iris aguardó en la tienda vacía, en la sola compañía de los numerosos relojes que latían desde todas partes. Un par de minutos más tarde, el relojero regresó con cara de consternación y su reloj en la mano.

—No puedo hacer nada por él —sentenció—. Las piezas que lo componen ya no se fabrican.

—Entonces, ¿no se puede reparar?

—No, pero aunque se pudiera, no debería hacerlo.

—¿Por qué no?

—Porque quien le regaló el reloj quiso entregarle un pedazo de otro mundo. Algo que ya no existe, pero que aún se deja sentir —el relojero acercó la esfera a la oreja de Iris para mostrarle el pequeño ruido que llegaba de ese «otro mundo».

—¿Pero qué sentido tiene regalar algo que no funciona?

—Tal vez el regalo no estaba a simple vista. Mire —dijo el hombre desplegando un pequeño papel—, he encontrado una inscripción detrás de la esfera. La he apuntado aquí, por si desea verla.

En el papel leyó:

ABANDONA EL PASADO
Y EL PRESENTE ARRANCARÁ

—¿Qué significa eso? —preguntó Iris aturdida.

—No tengo ni idea. Lo único que tengo claro es que su amigo no quiso regalarle sólo un reloj.

El almacén de las cuentas pendientes

La llave chirrió al girar la cerradura, como si llevara mucho tiempo sin hacerlo. La puerta se abrió entonces a un espacio oscuro e inhóspito, que no se parecía en nada al café donde ella había conocido a Luca.

—Este es el local —dijo Ángela—, como puedes ver, no hay ni rastro del café que dices.

El suelo estaba cubierto por una pátina de polvo que amortiguaba los pasos. El ambiente era frío y húmedo, y la penumbra confería a todo un aire misterioso. De hecho, la escasa luz que se filtraba desde la calle apenas servía para iluminar unos pocos metros. El fondo del local quedaba sumido en la oscuridad total.

—¿Sorprendida? —preguntó Ángela.

—Mucho.

Iris trataba de comprender cómo podía un establecimiento desaparecer por completo o convertirse en otra cosa en un lapso de tiempo tan breve. El teléfono móvil de Ángela rompió el silencio, interrumpiendo sus cavilaciones. Iris continuó caminando, como sonámbula, mientras su acompañante respondía a la llamada.

—Espera un segundo, aquí no tengo cobertura —dijo Ángela, mientras miraba a Iris y señalaba la calle, indicando que salía para poder hablar.

Iris la disculpó con un gesto y continuó avanzando sobre el suelo polvoriento. La curiosidad, y también el desconcierto, la empujaban hacia el fondo del local.

Muy pronto se dio cuenta de que, a medida que avanzaba, la oscuridad parecía diluirse. Sus ojos se acostumbraron a la penumbra y pudo distinguir, al fondo, una gran estantería repleta de cajas. Las había de distintos tamaños y colores. Lo único que las unía era la película de polvo que el tiempo había dejado caer sobre ellas.

«Este debe de ser el almacén del que me habló Ángela», pensó Iris mientras la examinaba con la mirada.

Había cajas de todos los tamaños. Las más grandes podrían haber contenido un frigorífico o un armario. Las más pequeñas, en cambio, eran del tamaño de una caja de zapatos. Se dio cuenta de que encima de cada una había una etiqueta con un nombre escrito a mano.

«Deben de ser paquetes que esperan ser entregados a sus destinatarios», se dijo Iris, aunque no pudo evitar pensar que todo aquello era muy extraño.

¿Qué contendrían todas aquellas cajas? ¿Por qué estaban allí? ¿Quiénes eran sus destinatarios? ¿Serían la razón por la cual el almacén no encontraba nuevos dueños?

Una suave música llegaba del fondo del local. Iris se detuvo a escuchar, aguantando la respiración. Sobre unos acordes sutiles, una voz melodiosa cantaba algo que le concernía:

Where are you going,
I asked,
Suburban Princess
*tonight?**

* Del inglés: *¿A dónde vas / pregunté / princesa suburbana / esta noche?*

También ella se preguntaba hacia dónde iba, qué era todo aquello y qué iba a encontrar al final de su camino.

Iris se detuvo súbitamente junto a la pared donde acababa el local. Había una mesa igual a las que tantas veces había visto en el café desaparecido. Sobre la superficie de mármol, humeaba una taza de chocolate que parecía recién servido. Desprendía el mismo aroma delicioso de las otras veces. La cucharilla limpia relucía sobre el plato.

Sin detenerse a analizar el sentido de todo aquello, Iris acercó la taza a sus labios y probó la bebida. El aroma y el sabor del chocolate le recordaron de inmediato a Luca, con quien tantas tazas como aquélla había compartido. Pero esta vez las cosas eran diferentes, porque se encontraba sola... ¿O no?

Escuchó unos pasos que se acercaban en la oscuridad. Iris prestó atención, un poco asustada, y enseguida reconoció una silueta que le resultaba muy familiar. Era un hombre delgado y distinguido con melena abundante: el mago.

—Veo que has descubierto el almacén de las cuentas pendientes. ¿Has encontrado tu caja?

Iris se alegró de volver a verle.

—¿Qué ha ocurrido con el café? —preguntó—, ¿por qué está todo tan distin...?

Pero él la interrumpió con un gesto decidido.

—Es importante que encuentres la caja que lleva tu nombre.

Iris ardía de ganas de preguntarle por Luca, pero la actitud del mago era tan autoritaria que no se atrevió a desobedecerle. Intrigada, regresó a la gran estantería y comenzó a leer las etiquetas de los paquetes una por una. Había muchas cajas, podría haberle ocupado todo el día encontrar la suya. Afortunadamente no fue así. Llevaba sólo unos minutos buscando cuando descubrió su nombre escrito con toda claridad en el lateral de un paquete diminuto, que habría podido guardar en la palma de su mano.

—¡Aquí está! —exclamó, divertida, regresando junto al mago—. Parece que mis cuentas pendientes no son muchas. ¿Qué es?

—Tendrás que averiguarlo por ti misma. Pero no subestimes las cosas por su aspecto externo. El interior de ese pequeño envoltorio puede contener todo un mundo.

—¿Es otro truco de magia?

—En cierto modo, sí. Este es el lugar donde las cosas que quedaron por hacer aguardan su oportunidad. Debes sentarte a la mesa, tomar tu chocolate y esperar.

—¿Todo esto es idea de Luca? ¿Está contigo?

—No tardarás en saber de él. Ten paciencia.

En la cara de Iris se dibujó una expresión contrariada. El mago se abrochó con lentitud los botones del chaleco raído y añadió:

—Disfruta de este momento. Y no olvides que un camino de mil millas comienza con un primer paso.

Iris se sentó frente a la taza caliente y rompió el embalaje.

Se sintió confusa al ver su contenido: un corazón de chocolate blanco, envuelto en papel de celofán. En la parte posterior, una etiqueta donde se leía: *Heladería El Centauro*, y una dirección.

Iris frunció el ceño.

—¿Tengo que ir a este lugar? —preguntó.

Pero no recibió respuesta alguna.

—¿Hola? ¿Estás ahí?

En vez del mago, le respondió la voz de Ángela, que se acercaba a toda prisa.

—Perdona que te haya dejado sola. Era un cliente al que no podía... ¡Vaya! ¡Veo que has encontrado una de las mesas de tu café! ¿Qué haces aquí, sola en medio de la oscuridad?

Iris guardó el corazón de chocolate blanco en el bolsillo de su chaqueta antes de responder:

—Ya ves. Me estaba tomando un chocolate calentito.

—¿Un qué...? ¡Menuda imaginación tienes, Iris! Anda, vámonos o terminarás haciéndome creer que en este lugar ocurren cosas raras.

El mar del futuro

—He salido antes del trabajo. Tengo una sorpresa para ti.

La voz de Olivier sonaba alegre y un poco impaciente.

—¿Tiene que ser ahora? Tenía otros planes —dijo Iris al teléfono.

La seguridad de Olivier la desconcertó. No esperaba que insistiera, y menos con tanta energía. Decididamente, comenzaba a perder su timidez con ella.

—¡Ahora mismo! Ni la sorpresa ni yo podemos esperar.

Pasó a recogerla veinte minutos después.

Su contagioso optimismo hizo que Iris olvidara la sensación de desasosiego que le había dejado la visita al almacén y su nuevo encuentro con el mago. De algún modo, comenzaba a comprender que aquel lugar y sus inquilinos pertenecían a una época de su vida que estaba quedando atrás. Olivier, en cambio, representaba el futuro. Un futuro feliz y de voz cantarina que no podía disimular la alegría que le producía verla.

—Estás pálida, princesa, ¿te ocurre algo? —le preguntó mientras recorrían una gran avenida, camino del centro de la ciudad.

—No es nada. He tenido un encuentro un poco extraño hace un rato.

—Comprendo. ¿Se te ha aparecido un fantasma?

—En realidad, toda mi vida parece estar llena de ellos.

Pensó en Luca mientras pronunciaba estas palabras. Descubrió que seguía sin renunciar a volver a verle, si es que la posibilidad que le había anunciado el mago era cierta.

—Es normal —comentó él—. Siempre vivimos rodeados de fantasmas. Lo importante es aprender a llevarse bien con ellos.

El resto del camino transcurrió en un silencio reflexivo. El coche de Olivier enfiló un paseo, torció un par de veces y se adentró por las despejadas calles de un barrio de reciente construcción.

—Hemos llegado —dijo finalmente al detener el vehículo frente a un edificio que parecía nuevo.

Iris cerró la puerta con energía y siguió al veterinario, que había echado a andar en dirección a un portal de puerta acristalada. Tras abrir con sus propias llaves, le indicó que le siguiera hacia un ascensor transparente muy bien iluminado. El espejo reflejó dos emociones bien distintas: la ilusión casi infantil de él, el asombro desconcertado de ella.

Subieron hasta el último piso, donde la puerta del ascensor se abrió a un rellano de suelos relucientes. Olivier se dirigió entonces hacia una de las cuatro puertas, giró la llave en la cerradura y la invitó a pasar con una reverencia teatral:

—Adelante —dijo, sin dejar de sonreír.

Iris entró en un piso vacío y por estrenar, cuyos radiadores aún estaban cubiertos con plásticos. Recorrió con curiosidad sus habitaciones, la cocina, el cuarto de baño y el salón, que era grande y con amplios ventanales.

—Espera a ver lo mejor —anunció Olivier mientras subía la persiana.

Salieron a una terraza. Nueve pisos más abajo, la calle parecía un mundo en miniatura. Frente a sus ojos se extendía el azul inmenso del mar. A pesar de que el día estaba gris, aquella imagen le pareció a Iris de una belleza casi sobrenatural. No pudo evitar imaginarse sentada en aquel lugar durante una noche de verano, mirando extasiada al horizonte.

—¿Se parece un poco al piso de tus sueños? —preguntó Olivier, tomándole las manos.

Iris sonrió tímidamente.

—Debe de costar mucho dinero —balbuceó— y estoy sin trabajo.

—El propietario es amigo mío. Está dispuesto a alquilarlo por un precio muy razonable.

Lo dijo con un temblor en la voz, como si los nervios le estuvieran dominando.

Iris pensó que jamás el futuro había sido tan palpable como en ese momento. Ni le había dado tanto miedo.

—No lo sé... Necesito pensarlo.

—Claro, princesa. Algo así no puede decidirse a la ligera.

Iris sonrió. La contemplación de aquel denso mar le producía un enorme sosiego. Sin apartar los ojos de la superficie, murmuró:

—Tengo la impresión de que toda mi vida es una pugna entre mi pasado y mi futuro.

No había hecho más que decirlo cuando recordó las palabras de Luca: «Hay algo que sólo ocurre en el presente».

La voz melancólica y débil de Olivier vino a darle la razón:

—Tienes razón, esto es lo que somos todos: un enorme lío sin solución a la vista.

Acerca de los ángeles

Después de ver el piso, Olivier se empeñó en invitarla a comer.

Fueron a un italiano donde Iris apenas probó bocado. No porque su acompañante no se esforzara en complacerla, sino por sus propios pensamientos, que no le daban un minuto de descanso. No renunciaba a encontrar a Luca, pero comenzaba a pensar que se trataba sólo de una absurda fijación. Por otra parte, se encontraba cada vez más a gusto en compañía de Olivier, quien demostraba con ella una delicadeza y una paciencia que no había conocido en otros hombres.

Cuando la dejó en casa, un par de horas después, la despidió con una sonrisa y unas palabras cargadas de comprensión:

—Me gustaría salir contigo esta noche, pero algo me dice que no es el mejor momento, ¿me equivoco?

Iris forzó una sonrisa.

—Estoy cansada —contestó— y necesito pensar.

—No hay prisa, pero no olvides que te estaré esperando en el futuro, como el mar.

Al llegar a casa, *Pirata* la recibió con la alegría habitual, entusiasmado con la posibilidad de dar un paseo. Pero en lugar de eso, Iris fue directa a escuchar los mensajes del contestador. A pesar de que no quería reconocerlo, seguía esperando que Luca diera señales de vida.

Sólo había un mensaje aguardando en su buzón, y era de Ángela. Tenía voz de encontrarse muy resfriada o de haber estado llorando. Iris dedujo que se trataba de lo segundo.

—Perdona que te llame para esto, pero no sé con quién hablar. Creo que eres una persona muy comprensiva, además de muy sensible. En fin, perdóname por asaltar tu contestador. No sabía a quién decirle que me han echado del trabajo y, qué idiota, estoy hecha polvo. Bueno, en realidad hay más motivos, pero prefiero no contárselos a una máquina.

Iris no dejó pasar ni un segundo antes de llamarla.

—Yo también estoy en el paro —le dijo— y te aseguro que tiene sus ventajas. Por ejemplo, ¿cuánto hace que no duermes hasta tarde un lunes de finales de enero?

—Diría que no lo he hecho nunca —reconoció Ángela—. Y tampoco he salido nunca un miércoles hasta la hora que yo quiera. Esa es otra ventaja, ¿verdad?

—Yo diría que sí.

—¿Tienes algo que hacer esta noche?

La pregunta agarró a Iris por sorpresa, pero no quiso ponerle excusas a Ángela como había hecho con Olivier.

—Nada, además de buscarle algún sentido a todo lo que me está ocurriendo.

—Entonces podemos hacerlo juntas. Yo le busco sentido a tu vida y tú a la mía. ¿Qué te parece?

—Me parece un buen trato —repuso Iris.

—Perfecto, entonces, ¿a las nueve en tu portal?

—Estupendo. Oye...

—¿Sí?

—No sé si tiene que ver con tu nombre, pero has sido un ángel para mí. ¿Sabes lo que es un ángel?

Y antes de que pudiera contestar, Ángela se adelantó:

—Un ángel es quien te salva de caer enseñándote a volar. ¡Nos vemos luego!

Pirata la miraba, impaciente. Pensó que había llegado el momento de complacer a su amigo de cuatro patas y le llevó a dar un largo paseo.

Premeditadamente, se acercó hasta el puente por donde pasaban los trenes de cercanías. Se detuvo un momento a mirar hacia abajo, recordando la última vez que estuvo allí. No hacía tanto de aquella tarde de domingo y, sin embargo, se sentía muy distinta, casi otra persona. *Pirata* lanzó un ladrido enfadado, antes de comenzar a tirar de la correa con todas sus fuerzas.

«Un ángel es quien te salva de caer enseñándote a volar», recordó Iris.

Y de inmediato pensó:

«Este lugar está lleno de ángeles.»

Acto seguido, echó a andar de vuelta a casa. Se sentía preparada para la primera gran noche de amistad de su vida.

La noche de los cuatro deseos cumplidos

Mientras caminaban sin rumbo fijo, Ángela le fue contando a Iris los capítulos más dramáticos de su existencia, que eran también los últimos:

—Siempre he sido una romántica empedernida, soy incapaz de controlar mis sentimientos. Sólo llevaba un mes trabajando en la inmobiliaria y ya me había enamorado de mi jefe. ¡Menudo desastre! Él empezó enseguida a lanzarme indirectas, miradas de esas cargadas de significado y a favorecer que nos viéramos a solas con cualquier excusa de trabajo. Una inmobiliaria es un buen lugar para mantener citas clandestinas con un compañero: hay pisos disponibles por todas partes. Un sábado por la mañana me citó en una casa maravillosa de las afueras y, una vez allí, me confesó que no estábamos esperando a ningún posible comprador, que me había pedido que le acompañara porque estaba loco por mí, y no podía soportar ni una hora más sin decírmelo. ¡Y yo mordí el anzuelo y caí en sus brazos como una idiota!

Enfilaron una calle estrecha iluminada sólo por algunas farolas amarillentas.

—Por supuesto, no se me ocurrió pensar que podía estar mintiendo. O que tal vez estaba casado. Me pareció tan sincero, tan romántico... ¡Todo aquello era tan imprevisto! Yo nunca me había enamorado de una manera así de arrolladora. Ni siquiera sospechaba que podía ser tan horrible y maravilloso al mismo tiempo. Me tomó por sorpresa. Pero lo viví al máximo, al menos de esto no me arrepiento. Fueron dos meses preciosos, de citas a todas horas, de muchos detalles por su parte.

»El final también fue imprevisto y demoledor. Creo que tuvo que ver con nuestra última cita, cuando se me escapó decirle que le iba amar toda mi vida, que deseaba construir un futuro a su lado. Hay hombres que no soportan conjugar los verbos en futuro. Estoy segura de que aquello le asustó. Claro, era lógico: él está casado, aunque nunca me hubiera hablado de ello. Y tiene dos hijos. ¡Ellos sí son su futuro, aunque no quiera!

»De pronto llegó un día a la oficina convertido en otra persona. En apariencia era el mismo, igual de encantador, igual de guapo, pero ahora se mostraba frío como el hielo. Comenzó a tratarme como a otra empleada más, ¡después de lo que habíamos compartido! Durante quince días he intentado soportarlo, y al principio pensaba que podría. Me propuse no perseguirle, no montarle una escena. Al fin y al cabo, somos adultos, y él no tenía ningún compromiso conmigo. Fue problema mío no darme cuenta antes...

»Pero esta tarde he perdido los nervios. Le he visto tontear con una chica nueva y no he podido soportarlo. He entrado en su despacho y he hecho lo que me prometí no hacer: le he ofrecido un buen espectáculo, con lágrimas incluidas. Creo que se ha sentido muy incómodo, tanto que sin esperar me ha dicho que se veía obligado a replantearse mi continuidad en la empresa, puesto que en los tres meses que llevo allí no he vendido ni un solo piso. Y lo peor es que tiene razón. El trabajo no me interesa lo más mínimo, lo único que me interesaba era él. De modo que he aceptado el despido, el finiquito y su palmadita en la espalda cuando me ha dicho: «Estoy seguro de que encontrarás un empleo que te llenará más que éste. Te deseo toda la suerte del mundo».

Ángela hizo una pausa —estaba a punto de llorar— antes de decir:

—Seguro que nunca has conocido a nadie más idiota que yo.

Iris se detuvo frente a ella y la abrazó. Sin previo aviso, sólo porque creía que su amiga lo necesitaba. Ante aquella caricia inesperada, Ángela comenzó a sentirse un poco mejor y consiguió no echarse a llorar de nuevo.

El frío parecía ahora más intenso que antes.

Frente a ellas, al otro lado de la calle, la luz cálida de un local brillaba como un reclamo. Las puertas estaban cerradas, pero en el interior se veía mucha gente, como si se celebrara una fiesta.

—¿Entramos a curiosear? —preguntó Ángela en cuanto se sintió más tranquila.

No lo pensaron dos veces. Nada más atravesar el umbral, se alegraron de haberlo hecho. El local acogía una actuación en directo. Un grupo formado por un pianista, un guitarra y dos cantantes —un chico y una chica— ocupaba un pequeño escenario al fondo. Caminaron entre la gente en busca de un lugar para seguir el concierto, y lo encontraron en un rincón junto a la barra, donde Ángela pidió dos cervezas.

Iris cerró los ojos. Le encantaba aquella sensación de sentir la música en vivo. La llevaba muy lejos.

Se concentró en la canción:

Forget the past.
Forget what's next.
You are nowhere and
*everywhere now.**

Disfrutaron de casi una hora de concierto. Bebieron varios botellines de cerveza, bailaron, incluso se atrevieron a corear algunos estribillos a petición del teclista. Cuando todo terminó, aplaudieron a rabiar. Se lo habían pasado en grande.

Afuera llovía con fuerza y hacía mucho frío. Decidieron quedarse allí y pedir otra ronda. Se sentaron a una mesa mientras los músicos recogían sus instrumentos.

—Es curioso, hasta hace poco apenas había entrado en ningún bar —dijo Iris— y ahora las cosas más importantes de mi vida parece que ocurren en ellos.

Ángela la escuchaba mientras bebía pequeños sorbos de cerveza directamente del gollete de la botella.

—Yo también estoy en época de cambios —continuó Iris— pero me da miedo desaprovecharla por culpa de mis miedos absurdos. Vivir me da pánico, pero seguir como hasta ahora me resulta insoportable. Además, no sé cómo librarme de todos los recuerdos dolorosos que conservo. Creo que me estoy convirtiendo en una amargada de treinta años.

Hablaron durante un buen rato más. Antes de que el local cerrara sus puertas, el encargado les dejó sobre la mesa dos tazas de café recién hecho. Sobre el plato reposaban dos envoltorios plateados.

* Del inglés: *Olvida el pasado / Olvida lo que viene a continuación. / Ahora tú estás en ninguna parte / y en todas partes.*

—Son galletas del porvenir. Debéis leer con atención el mensaje del envoltorio.

Les divirtió el juego, así que desenvolvieron sus galletas y leyeron los mensajes que estaban impresos en el reverso del papel.

—Creo que el mío es en realidad para ti —dijo Iris.

—Yo estaba pensando lo mismo —repuso Ángela, leyendo su mensaje, que ya había oído alguna vez—: *La vida se entiende mirando al pasado, pero sólo puede vivirse mirando al futuro*. Aquí tienes la respuesta a lo que te ocurre. En una galleta.

—Pues yo también tengo la solución a tus problemas —dijo Iris, y leyó el envoltorio—: *No llores porque las cosas han terminado; sonríe porque han existido*.

—Hemos intercambiado nuestros destinos —rió Ángela—, ¡exactamente lo que dijimos que íbamos a hacer!

—Yo de ti no cambiaría tu vida por la mía. Créeme: es un asco —le advirtió Iris.

—¡Yo opino lo mismo de la mía!

Las dos se echaron a reír a carcajadas. Era el efecto del alcohol, y las dos lo sabían, pero a pesar de todo no podían evitar reír y reír, como si de pronto se hubieran vuelto locas.

El encargado del local trató de llamarlas al orden, pero fue inútil. Como cuando se intenta evitar que un par de adolescentes rían en mitad de un acto serio, sólo consiguió espolear sus ganas de reír más fuerte.

—Vamos, chicas, calmaos —les dijo—. En unos minutos tendremos que cerrar. Además, está nevando, por si no os habíais dado cuenta.

Por los altavoces del bar había comenzado a sonar una canción que ninguna de las dos estaba en condiciones de escuchar:

Dreaming with open eyes
is an art to be learnt
*in the secret school of twilight.**

* Del inglés: *Soñar con los ojos abiertos / es un arte que se aprende / en la escuela secreta del crepúsculo.*

Nadie come helados en un día de nieve

—La de ayer fue una noche mágica —dijo Iris a Olivier nada más responder al teléfono.

—¿Lo dices por la nieve?

—Entre otras cosas. Creo que ayer los ángeles estaban por todas partes, dedicados a enseñar a la gente a volar, o a hacer realidad sus deseos. ¿Sabías que hay gente que cree en estas cosas?

—Me gusta escucharte tan contenta. Es estupendo, porque quería proponerte ir a dar una vuelta. ¿Te animas? Después de todo, la nieve siempre nos ha traído buena suerte. Ya sé que prometí no insistir, pero una nevada como esta no cae todos los días.

—Completamente de acuerdo, pero esta mañana no puedo, tengo algo que hacer.

Sintió que su respuesta desilusionaba al insistente Olivier, así que se apresuró a decirle:

—Pero tal vez podríamos almorzar juntos en algún lugar incomunicado y lleno de estalactitas.

Sus palabras causaron el efecto deseado. Olivier soltó una risotada nerviosa, como de alguien poco acostumbrado a las proposiciones de ningún tipo. Su voz sonó eufórica cuando aceptó el plan y se despidió hasta unas horas más tarde.

A pesar de que estaba de mucho mejor humor —los últimos días habían llegado cargados de acontecimientos—, Iris aún tenía pendiente la visita a la heladería *El Centauro*. Además, sentía que no podía retrasarla por más tiempo, como si lo que tuviera que ocurrir allí fuera a cambiar las cosas. En aquel momento no podía imaginar lo acertado de sus presentimientos.

Se abrigó bien, se calzó las botas de suela de goma y no olvidó la bufanda y los guantes antes de lanzarse a las frías calles cubiertas de blanco. La ciudad estaba bella y desconocida, como si se hubiera arreglado para una ocasión especial.

Iris decidió caminar, disfrutando del frío y del ambiente exaltado por la novedad de la nieve. La dirección que buscaba no estaba muy cerca, pero tenía ganas de dar un paseo sin prisas.

Más extraño aún que caminar por la ciudad mediterránea convertida en un paisaje polar era dirigirse a una heladería en un día tan gélido como aquel.

El Centauro se hallaba en un callejón estrecho cerrado al tráfico. En un cartelón de madera, grandes letras rojas anunciaban que había llegado al lugar que andaba buscando. La persiana estaba a medio bajar, pero en el interior se veía luz.

A pesar de todo, Iris se acercó a la puerta de metal y la golpeó tres veces con los nudillos. Su llamada sonó como el gong que anuncia el principio o el final de algo.

Escuchó unos pasos enérgicos que se acercaban. Un instante después, la persiana se alzó gracias a un mecanismo eléctrico y apareció ante Iris una mujer de complexión fuerte y mejillas sonrosadas.

—¿En qué te puedo ayudar? Está cerrado.

—Estoy buscando al propietario.

—Soy yo, Paula.

—Encantada, soy Iris.

Se estrecharon las manos. La mujer la miró entrecerrando un poco los ojos, como si quisiera estudiarla antes de confiar en ella. Se hizo a un lado y la invitó a pasar.

—Pasa, no te quedes ahí, con el frío que hace.

Iris entró y, tras sacudirse la nieve de las botas, se quitó el abrigo. A sus espaldas, la mujer volvió a bajar la persiana y se dirigió a la parte de atrás de la barra.

La heladería era un local amplio, pintado de colores muy alegres. En el mostrador se alineaban las cubetas con los helados de distintos colores, y en las estanterías había galletas, dulces y chocolates de distintas formas. Todo parecía muy nuevo. En un bote junto a la caja, Iris descubrió docenas de corazones de chocolate blanco como el que la había guiado hasta allí.

—Íbamos a inaugurar hoy, pero con este tiempo no creo que sea muy buena idea —le explicó Paula.

—Es un lugar muy bonito —dijo Iris, mientras empezaba a preguntarse qué estaba haciendo allí.

—Me alegro de que te guste, porque acabas de convertirte en la primera clienta. ¿Qué te apetece tomar? Invita la casa.

—Por favor, no quiero causarte ninguna molestia.

Paula sonrió y negó con la cabeza.

—No es ninguna molestia, de verdad. Vamos, dime, imagino que no te apetece un helado. ¿Mejor un café? ¿O un chocolate calentito? Con este frío, es la mejor opción.

Iris no pudo negarse. Mientras preparaba el inesperado desayuno, Paula se interesó por saber cómo había encontrado el local.

—Podríamos decir que fue una recomendación de alguien que me conoce muy bien. Me regaló esto —dijo mostrándole el corazón de chocolate blanco que había encontrado en el almacén.

—Vaya. Debe de ser una persona muy dulce. Seguro que le conozco. No ha pasado tanta gente por aquí mientras duraban las interminables obras.

Iris iba a preguntarle por las personas que podían haber conseguido uno de aquellos corazones cuando Paula dijo:

—No puedes imaginar cómo estaba este lugar. El incendio lo arrasó todo.

—¿El incendio? —se extrañó Iris.

—Claro, ¿no te enteraste? ¡Si hasta salió en los periódicos! Cuando lo vi por primera vez, era un sitio dantesco. Pero gracias a eso pude pagarlo. Me lo dejaron bien de precio a condición de que abriera pronto, pero te prometo que no fue fácil convertirlo en lo que estás viendo.

Iris volvió a mirar a su alrededor, maravillada porque no hubiera ni rastro del fuego del que le estaba hablando Paula.

—Ven, te voy a enseñar lo poco que queda del desastre que encontré al llegar.

Paula la invitó a pasar a la trastienda. Allí se veía un muro de ladrillos calcinados donde se abría un horno de leña. Junto a él, en un enorme recipiente de plástico, se amontonaban fuentes y platos, casi todos rotos.

—Esto es todo lo que queda del mejor restaurante italiano de la zona, según los clientes. Era un lugar muy querido en el barrio, espero que no me odien sólo por ocupar el mismo espacio.

Fue entonces cuando Iris reparó en la vajilla. Estaba decorada con dos franjas, una verde y otra roja, los colores de la bandera italiana. Y justo en el centro, los mismos tonos formaban unas letras que para ella cobraron un significado inmediato y terrible:

CAPOLINI

Con el corazón acelerado, preguntó:

—¿Tienes idea de dónde está el dueño del restaurante?

—No sabría decirte... El propietario no se atrevía a hablarme de eso, como si temiera mi reacción. Pero alguien me dijo que resultó herido. Al parecer estaba aquí la noche del fuego. No sé nada más, lo siento.

Iris regresó a la mesa donde aguardaba la taza de chocolate y tomó su bolso a toda prisa.

—Tengo que irme —anunció.

—Espero que vengas otro día, cuando deje de nevar —la despidió Paula.

Pero Iris apenas escuchó estas palabras. De repente sentía muchas ganas de llorar. Balbuceó una despedida de agradecimiento y echó a andar hacia su casa como una sonámbula.

Estaba a más de medio camino, cuando se dio cuenta de que había dejado el corazón de chocolate olvidado sobre la mesa, pero no le importó. Al contrario: le pareció lo más lógico.

Al fin y al cabo, no todos los lugares son apropiados para extraviar un corazón, ni siquiera si es de chocolate.

El pasado huele a papel viejo

*«Sólo los periódicos viejos y las cartas enviadas
conservan de verdad el pasado.»*

Iris leyó la inscripción mientras esperaba a que el responsable de la hemeroteca, un hombre de camisa blanca y lentes de pasta negra, le trajera lo que acababa de pedirle.

El lugar olía a papel viejo y a polvo. Los tomos con los periódicos más antiguos se alineaban tras grandes vitrinas que cubrían todas las paredes de la sala. Los más modernos estaban en el almacén, donde el encargado había ido a buscar el suyo.

—¿Seguro que no prefiere consultarlo por Internet? —le preguntó al entregarle los dos gruesos tomos.

—Seguro —respondió.

—Estaré en la sala de al lado. Si me necesita, sólo tiene que pulsar el timbre —dijo el hombre antes de desaparecer tras las grandes puertas de madera.

Iris se quedó sola en medio de un silencio compacto.

«Vamos allá», pensó, abriendo el primero de los dos volúmenes. Y empezó a leer los titulares de cosas ocurridas siete meses atrás.

Fue una búsqueda bastante fácil: las páginas que aquel periódico dedicaba a las noticias locales eran de un color distinto a las del resto. Sólo tuvo que saltar de unas a otras hasta localizar el suceso que estaba buscando:

Un incendio destruye totalmente la Pizzería Capolini

En la madrugada de ayer, un incendio accidental devastó la emblemática Pizzería Capolini. El fuego comenzó poco después de que el propietario cerrara las puertas a las dos de la madrugada en uno de los hornos de leña que se utilizaban para cocer las pizzas que tanta fama habían dado al establecimiento. Las llamas se extendieron rápidamente por la cocina y las paredes formadas por placas de madera hasta devorar todo el local. Avisados por un vecino, los bomberos tardaron media hora en llegar, cuando los daños ya eran irreparables.

En un principio se creyó que no había que lamentar víctimas, ya que el local estaba cerrado al público y con la puerta cerrada. No obstante, un posterior comunicado de los bomberos informó de que el dueño del restaurante, el italiano Luca Capolini, ha resultado gravemente herido en el incendio. Trasladado de urgencia al Hospital del Mar, donde permanece con pronóstico reservado, todo apunta a que se había quedado dormido en la parte trasera de su negocio cuando las llamas empezaron a extenderse.

Sobre el titular, una fotografía mostraba cómo era la pizzería antes de que el fuego la destruyera: un par de ventanales enmarcaban una puerta coronada por una bandera italiana sobre la que se leía el apellido de Luca. Uno de esos lugares que la gente suele asociar con la buena mesa y la diversión compartida.

Iris llegó sin aliento al final del artículo. Se sentía perdida. No entendía nada. ¿Cómo era posible que Luca no le hubiera contado nada de aquello? Ni siquiera le había mencionado el incendio. ¿Y qué macabra casualidad había ordenado que le trasladaran al mismo hospital donde fueron llevados sus padres después del accidente?

Sólo entonces se le ocurrió mirar en la cabecera del periódico el día exacto en que había ocurrido todo: ocho de noviembre.

Se echó a llorar como una niña. No podía contenerse. Huyó de la hemeroteca dejando el enorme volumen abierto sobre la mesa y la silla descolocada.

Una vez en la calle, detuvo un taxi y pidió al conductor que la llevara al Hospital del Mar.

«Sólo es una coincidencia, no debería ponerme así», se repetía una y otra vez, mientras veía pasar la ciudad tras las ventanillas del coche.

Descubrir que el accidente de la pizzería de Luca se había producido exactamente el mismo día que la muerte de sus padres, y casi a la misma hora, le provocaba una angustia indescriptible.

Cuando ya divisaba a lo lejos la silueta del hospital, recordó el cartel que había leído en la hemeroteca. Y se dijo:

«Tal vez va siendo hora de hacer que el pasado se largue de una vez.»

Atravesar el umbral de la verdad

Nunca lograremos sonreír en los lugares donde hemos sido muy desdichados.

El Hospital del Mar era para Iris uno de esos lugares. Recordaba como si fuera ayer la madrugada fatídica, cuando recibió aquella terrible noticia:

—La llamo del Hospital del Mar. Sus padres han sufrido un accidente de tráfico y han ingresado en el centro hace apenas una hora.

Entre el duermevela y el sobresalto, Iris sólo atinó a preguntar con un hilo de voz:

—¿Se encuentran bien?

Y comenzó a temer lo peor cuando la voz al otro lado dijo con tono compungido:

—Preferiría darle esa información en persona.

Fue el trayecto más angustioso de su vida. En medio de la incertidumbre y con el peor de los presentimientos. Por primera vez la asaltaban una sensación de vacío y pérdida absolutos. En su cabeza, una voz interior no dejaba de repetir: «No voy a llegar a tiempo, no voy a llegar a tiempo».

En ese momento no sospechaba que gran parte de aquellos sentimientos iban a tardar mucho tiempo en abandonarla.

Nada más conocer a la doctora de guardia se confirmaron sus peores sospechas. Nunca más vería con vida a sus padres. Habían muerto poco después de ingresar en el hospital, juntos, como lo habían hecho todo en la vida.

Aquellos recuerdos le oprimían la garganta ahora que volvía a pisar el lugar.

En el mostrador de información preguntó a una enfermera huraña dónde llevaban a los enfermos con quemaduras. La mujer contestó:

—¿Viene a ver a un familiar?

—Sí —mintió ella.

—Pregunte a la enfermera del final del pasillo —y señaló a su derecha.

Cuando llegó al lugar indicado, encontró a otra enfermera tan antipática como la anterior, a quien repitió la pregunta.

—¿Cómo se llama la persona a quien desea ver? —preguntó la enfermera, una mujer mayor con bolsas muy marcadas bajo los ojos, que llevaba un uniforme verde.

—Luca Capolini —dijo Iris, y añadió—: Seguramente ya le han dado el alta.

Iris no tenía duda de esto, puesto que había conocido a Luca semanas después del accidente del que hablaba el periódico. Las quemaduras no podían ser muy graves —probablemente habría sido ingresado por asfixia—, puesto que no recordaba haber visto ninguna marca en su rostro o en sus manos.

Sin embargo, aquel hospital donde había estado ingresado era la única pista de la que disponía para llegar hasta él.

La mujer tecleó el nombre y miró la pantalla achinando un poco los ojos.

—¿Seguro que es ese nombre? —preguntó.

—¿No le consta?

La enfermera la miró por encima de las gafas.

—Espere un momento —dijo y, acto seguido, desapareció por la puerta de un despacho contiguo.

Iris se quedó sola con su desasosiego, preguntándose qué diablos pasaba. Estuvo tentada a mirar la pantalla, pero su prudencia se lo impidió. La enfermera no tardó en volver a salir y le pidió:

—Venga conmigo, por favor.

La siguió obedientemente, a lo largo de otro pasillo interminable, hasta una sala de espera de paredes blancas repleta de mullidos sillones.

—Espere un minuto, enseguida vendrá el médico —la informó la enfermera antes de desaparecer y dejarla sola.

Iris se sentó a esperar, desconcertada y nerviosa. De pronto se sentía ridícula de estar allí. ¿Qué haría si daba con el paradero de Luca? ¿Preguntarle por qué se había marchado sin despedirse? ¿Confesarle que estaba enamorada de él? Negó con la cabeza, mientras por dentro pensaba: «No puedo actuar guiada por simples corazonadas, tengo que aprender a no hacerlo».

Mientras miraba distraída hacia la puerta, le pareció ver pasar una figura delgada y distinguida, de larga melena canosa. Llevaba bata blanca, pero por debajo sobresalía su ropa raída de otras veces. Era el mago, estaba segura. Pero cuando ella salió al pasillo para verle mejor, se había esfumado, lo mismo que un espejismo.

«¿Me estaré volviendo loca?», se preguntó en el mismo instante en que llegaba el médico.

—¿Es usted Iris? Me han dicho que ha preguntado usted por el señor Capolini. ¿Es algún pariente suyo?

—No. Somos amigos.

—Comprendo. Siéntese, por favor. Creo que hay cosas que no sabe.

El médico, un hombre de mediana edad de barba rasurada y ojos muy azules, tenía un aspecto afable y cercano que la ayudó a tranquilizarse un poco.

—Debo admitir que estoy un poco desconcertado —le dijo el doctor—, porque el señor Capolini estuvo aquí un tiempo sin que se interesaran por él. Llegué a pensar que no tenía a nadie, lo cual, por supuesto, me pareció muy triste. Nadie se merece estar completamente solo en los peores momentos, ¿no cree?

—Por supuesto que no —dijo Iris.

—De modo que considero su visita una bendición. Aunque ya sea tarde, es bueno saber que alguien le echa de menos.

—¿Aunque sea tarde? —preguntó ella sin entender nada.

—Esta es la parte más dolorosa: la de la verdad que no puede disfrazarse.

El médico buscó sus ojos con la mirada y depositó una mano sobre las suyas. No parecía muy acostumbrado a dar malas noticias. O tal vez nadie se acostumbra del todo a eso.

—El señor Capolini murió hace dos semanas —le informó el médico.

Iris meneó la cabeza.

—Pero... no puede ser. ¿Dos semanas? No —negó con la cabeza, rotunda—. Es imposible.

El médico siguió explicando:

—Su cuerpo terminó por rendirse, aunque cuando ingresó ya había muy pocas esperanzas. Poca gente sobrevive a un coma prolongado. Ni siquiera la gente todavía joven, como él.

Los ojos de Iris se inundaron de lágrimas.

—Lo siento mucho, de verdad. Ojalá pudiera darle mejores noticias.

—¿Qué día... qué día murió?

—Fue un domingo por la tarde. El primero después de las fiestas de Navidad.

Iris recordaba perfectamente aquel domingo. Fue el día en que su vida comenzó a cambiar. El día que conoció a Luca en *El mejor lugar del mundo es aquí mismo*. Cuando un ángel la salvó de saltar desde el puente sobre las vías del tren. Recordaba perfectamente a qué hora fue.

—Déjeme adivinar —dijo ella con un temblor en la voz—. Murió a las cinco de la tarde.

—Exactamente. Yo mismo firmé el certificado de defunción.

Iris sintió que necesitaba salir de allí. Se despidió del médico a toda prisa, después de proferir un «gracias por todo» imperceptible. Tenía tanta urgencia por alcanzar la salida y sentir el aire fresco en las mejillas que apenas escuchó lo que le decía el amable facultativo:

—Alguien que tiene quien le llora ya no está tan solo.

Iris echó a andar por el pasillo como una sonámbula. El corazón le latía con más fuerza que nunca y las lágrimas le nublaban el camino.

De repente sintió que la cabeza comenzaba a darle vueltas y pensó que debía sentarse. A su derecha vio la entrada de unos baños. Sin pensárselo dos veces, empujó la puerta.

El lugar se hallaba en una penumbra que le resultó agradable. Fue directa al lavamanos y se refrescó la cara con agua fría. Rehuyó su imagen en el espejo porque no tenía ganas de verse la cara. Se sentó en un banco que encontró en un rincón, cerró los ojos y respiró profundamente.

«Sólo será un momento», se dijo.

Enseguida comenzó a sentirse mejor, como quien se aleja del mundo. O como quien está a punto de comprender las cosas más complejas de la vida.

La felicidad es un pájaro que sabe volar

«Hola, Iris, soy yo: Luca. No abras los ojos. No te muevas. Hay cosas que suceden sólo en el presente, ¿recuerdas? Como la historia que quiero contarte. Es la historia de un final, pero está prohibido ponerse triste. No es un drama, sino todo lo contrario. Voy a contarte cómo la belleza puede llegar en el último momento, cuando ya has renunciado a encontrarla. De modo que esta es una historia alegre.

»Imagina que entras en una habitación donde un hombre joven que además es tu amigo está viviendo los últimos minutos de su vida. Imagina que le agarras de la mano, le deseas lo mejor, derramas una lágrima por él y le dices con sinceridad, con el corazón hecho pedazos, que vas a echarle de menos. Imagina que sólo un segundo después, tu amigo muere. No abre los ojos, pero tú sabes que se ha despedido de ti, porque te ha parecido notar que su mano apretaba un poco la tuya. Ha sido un gesto cálido, aunque apenas se pudiera notar. Tú sabes ahora que estas últimas palabras tuyas le han ayudado a marcharse más tranquilo e infinitamente más feliz.

»Aunque ahora no puedas saberlo, ese hombre fue un ser arrogante con sólo dos fijaciones en la vida: las mujeres y el dinero. A lo largo de su existencia, decepcionó a todos los que se acercaron a él, comenzando por sus padres, quienes durante muchos años esperaron la mejor noticia que podría haberles dado: la de que les echaba un poco de menos. A pesar de que no hizo nada por merecerlo, en el amor tuvo más suerte que la mayoría. Conoció a una chica estupenda, que le quería de verdad, pero no fue capaz de reconocer la fortuna que significaba haber tropezado con alguien como ella.

»De modo que cuando murió estaba solo, en compañía de una enfermera que aquella noche estaba de guardia, a quien nunca había visto antes. Lo último que pensó, mientras le parecía caminar por un túnel muy largo hacia una luz muy brillante fue: "Me hubiera gustado que alguien sintiera mi muerte, que alguien me llorara". Un pensamiento que en otro tiempo le habría hecho sonrojar de vergüenza y le habría parecido propio de otros, pero no de él. Y a continuación se dijo: "Ya de nada sirve lamentarse, es tarde para todo".

»Pero la parte más importante de su historia estaba a punto de comenzar, por muy sorprendente que resulte. Él no estaba solo. En el túnel había más gente. Enseguida se acercó a un matrimonio maduro, un hombre y una mujer de aspecto sereno, aunque sin embargo parecían muy tristes. Le contaron que su coche se había empotrado contra un enorme camión. Habían sido trasladados al hospital, donde habían muerto.

»Era extraño escuchar sus voces. No sonaban como en el mundo real, sino que más bien parecían provenir del mundo de los sueños, como si fueran un producto de su imaginación. De esta forma, habían oído contar, se cuelan los muertos en el mundo de los vivos. Aquellas personas le explicaron que no lamentaban marcharse, sino tener que hacerlo sin despedirse de la persona a quien más querían en el mundo, su única hija, Iris.

»—Quienes se van sin despedirse nunca se van del todo —dijo el hombre.

»—Y para ser feliz hay que dejar marchar a los muertos. Y retener a los vivos —añadió la mujer.

»Su voz sonó muy triste cuando dijeron, casi a la vez:

»—Para nuestra hija, la felicidad ha sido siempre como un pájaro. Teme asustarla y que eche a volar.

»Al hombre joven que acababa de morir le quedó clara una cosa: aquellas dos personas, que habían pasado toda su vida una al lado de la otra, estaban ahora unidas en ese deseo de la felicidad de su hija. ¡Qué suerte tener algo en común incluso más allá del mundo de los vivos!

»Luego ambos se esfumaron. O él dejó de oír sus voces. Nada estaba muy claro en aquella extraña duermevela.

»De ese encuentro fantasmal, el hombre joven aprendió la lección más importante de su vida. Supo que su paso por el mundo había carecido por completo de sentido, porque no había nadie a quien hubiera hecho feliz. Y deseó lo imposible: quiso haberse dado cuenta antes para tener ocasión de enmendarlo.

»Entonces ocurrió algo aún más extraño. Sin saber cómo, se encontró en un lugar donde la magia aún parecía posible. Allí encontró a una mujer de corazón generoso. En cuanto ella le dijo su nombre, comprendió que se le ofrecía una segunda oportunidad y que debía aprovecharla. No era sólo suya: serviría también para cumplir el último deseo de aquellos padres preocupados por la felicidad futura de su única hija. Cuando terminara, se alejaría para siempre. Por eso se propuso hacerlo lo mejor que pudiera, aunque nunca sabría del todo cómo le había salido. Tú debes decir ahora si lo hizo bien o si, por el contrario, fracasó una vez más.

Iris tenía los ojos llenos de lágrimas.

—Fueron ellos quienes te enviaron... —se oyó decir, como si su voz llegara de un lugar muy lejano.

»Y tú les dejaste marchar tranquilos. Y a la vez me salvaste a mí. Quería darte las gracias, antes de decirte adiós.

—¿Te vas?

Pero no hubo respuesta. De pronto Iris escuchó que la puerta del baño se abría. Alguien encendió la luz. Deslumbrada, miró hacia el enorme carrito de la limpieza que avanzaba frente a ella, empujado por una mujer más bien gruesa y vestida con una bata azul.

—Lo siento... —balbuceó la desconocida, antes de fijarse mejor en su cara y preguntar—: ¿Se encuentra usted bien?

—Sí, sí... —Iris se levantó a toda prisa—. No sé qué me ha pasado. Me había mareado un poco, pero ya me encuentro mucho mejor.

El aire frío la devolvió al mundo real mientras se secaba de las mejillas las últimas lágrimas.

Pidió al taxista que recorriera el paseo junto al mar. Quería ver el apartamento al que la había llevado Olivier. Deseaba aproximarse a la felicidad, pero despacio, sin precipitarse.

«No vaya a echar a volar nada más verme», pensó antes de proseguir su regreso a una casa que ya no sentía como suya.

Meter la vida en cajas de mudanza

«Iris, querida, soy Ángela. ¿Te acuerdas de aquel señor tan alto que vino a ver tu casa, uno que era alemán? Me ha llamado para decirme que quiere comprarla. Está de acuerdo con el precio y tiene bastante prisa. El pobre no sabía que ya no trabajo para la inmobiliaria. En fin, el idiota de mi ex jefe te llamará para contártelo. Yo sólo quería ofrecerme por si necesitas que te ayude a hacer cajas. Que sepas que soy toda una experta en embalar la vida y marcharme a otra parte. ¡Ah, y enhorabuena!»

El segundo mensaje era de la inmobiliaria: una voz masculina que, con un tono serio y neutral, le comunicaba lo que acababa de escuchar de voz de Ángela, para luego añadir:

«El cliente desea volver a ver el piso antes de encargar los muebles. Por nuestra parte, esperamos su llamada para comenzar con el papeleo.»

El último mensaje era de Olivier. Su voz no estaba nada animada.

«Hola, princesa. Ya sé que uno de mis defectos es no darme cuenta de que me pongo pesado. Lo siento mucho, no quería que te hartaras de mí tan pronto. Sólo quería decirte que si he insistido tanto es porque me pareces una mujer tan diferente a las que he conocido, tan especial que... ¿Ves? ¡Ya estoy otra vez! Si es que no aprendo ni cuando me dejan plantado... En fin... Cuídate mucho y sé feliz. El mundo sería un lugar mucho más triste sin ti.»

El mensaje de Olivier aceleró los latidos de su corazón. Con todo lo que le había ocurrido aquel día, no había recordado su cita para comer. De pronto le imaginó esperando durante horas frente a su portal, preguntándose qué habría pasado y —como acababa de escuchar— extrayendo sus propias conclusiones, antes de finalmente darse por vencido. Precisamente ahora, que ella comenzaba a sentir algo por él...

«Y a pesar de todo, ha encontrado palabras amables», pensó Iris, con admiración.

Pero antes de ocuparse de Olivier había algo urgente que debía resolver. Totalmente decidida, marcó el número de la inmobiliaria y preguntó por el jefe. Contestó la misma voz monótona que le había dejado el mensaje que acababa de escuchar. Iris se esforzó mucho en que no le temblara la voz al decir:

—Deseo que la misma agente que enseñó el piso la primera vez sea quien acompañe al cliente en esta visita.

Empleando su tono de hombre seguro, el propietario de la inmobiliaria le explicó que la persona a la que se refería ya no trabajaba allí, pero que amablemente otro agente se encargaría del asunto.

Iris no le dejó terminar:

—No me parece justo que lo haga otra persona. Esa chica, no recuerdo su nombre...

—Ángela —dijo él.

—Exacto, Ángela. Creo que lo hizo muy bien. No estaría bien dejarla al margen. El mérito es de ella.

Ahora la voz del hombre sonó ligeramente alterada. Comenzaba a ponerse nervioso.

—Lo siento, pero eso no va a ser posible. Ya le he dicho que Ángela ya no trabaja aquí.

—Entonces, prefiero no vender el piso. Dígale a su cliente que he cambiado de opinión. Buenas tardes —y colgó el teléfono.

No estaba acostumbrada a ser tan brusca y las manos le temblaban, pero estaba convencida de que la jugada le saldría bien y lograría que Ángela recibiera lo que le correspondía. Además, por supuesto, de la llamada del hombre por culpa del cual se había quedado sin trabajo.

Esperó por si el teléfono volvía a sonar, pero no lo hizo. A su lado, *Pirata* miraba a su dueña interrogativamente mientras Iris observaba el aparato. Parecía preguntarse qué diablos estaban haciendo.

—Ahora es tu turno —le dijo al perro, sujetando la correa—, vamos a dar un paseo, pero tendrá que ser corto.

Pirata se conformó con aquella vuelta que apenas le bastó para estirar un poco las patas y hacer sus necesidades a todo correr. Cuando regresaron a casa, pocos minutos más tarde, pareció comprender que era un día muy ajetreado y que su dueña debía atender otros asuntos.

Iris se encerró en el cuarto de baño y se dio una ducha reparadora. Mientras se arreglaba para salir, sonó el teléfono. Era Ángela:

—¿Se puede saber cómo lo has hecho?

—¿A qué te refieres?

—¡Me ha llamado! Para disculparse y para decirme que la venta de tu piso debo terminarla yo. ¡Me resisto a pensar que no has tenido nada que ver!

Iris fingió voz de sorpresa:

—¿Yo? No, absolutamente nada. Supongo que se habrá arrepentido. ¿No dicen que los hombres siempre terminan por volver?

Ángela parecía albergar sus dudas acerca de lo que estaba escuchando:

—¿Me dejas que te invite a cenar, para agradecértelo? —preguntó.

—Esta noche tengo otros planes —repuso Iris—, pero hay un favor más que quiero pedirte.

—Dispara. La respuesta es sí.

—¿Todavía tienes las llaves del almacén que visitamos?

—Casualmente, sí. Como mi querido jefe me despidió aquel mismo día, ni siquiera me acordé de devolverlas.

—No sé por qué, lo imaginaba —dijo Iris—. ¿Te importará si...?

Ni siquiera la dejó terminar:

—¡Hecho! ¿Cuándo vamos para allá?

—¿Esta madrugada tienes algo que hacer? ¿A eso de las dos?

Ángela sonrió al otro lado.

—Eres la persona más rara que he conocido, pero cuenta con ello. Por una amiga como tú vale la pena trasnochar.

Iris terminó de arreglarse a toda prisa mientras por su cabeza no dejaba de revolotear la palabra que había pronunciado Ángela: «amiga». Era la primera vez que alguien la consideraba tal cosa y, no sabía por qué, eso la hacía inmensamente feliz.

Pirata, resignado, la miraba de reojo tumbado en el suelo mientras dejaba escapar largos bufidos. Entendía que aquella no iba a ser precisamente una plácida noche en compañía.

Ya en el recibidor, con las llaves en la mano, Iris se volvió a mirarle y le dijo con una sonrisa radiante:

—Deséame suerte.

Y casi había cerrado la puerta cuando la volvió a abrir y añadió:

—Igual tardo un buen rato en volver. Te doy permiso para orinarte en esa vieja alfombra fea, así no tendremos que llevarla al piso nuevo —le dijo mientras le acariciaba la cabeza.

Antes de bajar a la calle, Iris echó un último vistazo a su casa y entendió que la única parte de su vida anterior que le apetecía meter en las cajas de la mudanza eran aquel perro paciente y a sí misma.

Ya sólo le faltaba Olivier para que todo fuera perfecto.

La búsqueda de la eterna perfección

—Imaginaba que te encontraría aquí —dijo Iris, cuando Olivier contestó al portero automático de la perrera—. Si aceptas mis disculpas, te invito a cenar.

—Claro, princesa. Bajo enseguida.

Olivier parecía abatido. Sus ojos brillaban menos que otras veces, y su sonrisa parecía más forzada que de costumbre.

—He sido una idiota. Estaba tan empeñada en buscar a lo lejos que había olvidado que la felicidad puede estar muy cerca.

—Hay un haiku de Fusei que apunté en Osaka y que siempre me ha gustado mucho: «Cerezos en la noche / Cuanto más me alejo / Más vuelvo a mirarlos». Por cierto, ¿sabes qué son los haikus?

—¡Por supuesto! —replicó Iris— Incluso he escrito alguno.

Aquello pareció divertir al veterinario. Su expresión dejó de ser tan gris.

—¡Nunca dejarás de sorprenderme! Esto se merece otra visita a un japonés. Uno muy especial. ¿Estás preparada?

Olivier le llevó hasta el centro de la ciudad, donde dejaron el coche en un aparcamiento. Luego se adentraron por las estrechas callejuelas de la ciudad escondida, aquella que jamás recorrían los turistas, y donde incluso los lugareños temían entrar. En una de ellas, tras un recodo, distinguieron una sencilla puerta de madera custodiada por un farolillo rojo de papel.

—Es aquí. Ni siquiera tiene nombre. A los dueños les gusta que los habituales lo llamemos *Himitsu*, que significa «secreto». Más que un restaurante, es una hermandad escondida. Aquí todos nos conocemos.

Nada más entrar, Iris entendió que aquel era un lugar diferente a todos. Olivier le indicó con un gesto que se descalzara y dejara los zapatos junto a la puerta. Acto seguido, él saludó con una pequeña reverencia a una anciana japonesa que aguardaba en el pequeño vestíbulo. La siguieron hasta un diminuto salón donde sólo había tres mesas de madera, una de las cuales estaba ocupada por otra pareja.

De la pared colgaban grabados japoneses en los que se representaba la bravura del océano y la nieve sobre el monte Fuji.

—He decidido alquilar el piso que me enseñaste —anunció Iris—. Siempre que tu amigo mantenga su oferta, claro. Tenías razón: es el lugar de mis sueños.

Olivier sacó el teléfono móvil y llamó a su amigo, el propietario. Dos minutos después, el piso era suyo.

—Te ayudaré con la mudanza —dijo, entusiasmado—, ¡se me dan muy bien!

Iris pensó que era la segunda persona que se ofrecía para algo tan desagradable en menos de dos horas. Alguien que tiene dos amigos dispuestos a ayudarle en una mudanza ya no puede decir que está solo.

—No voy a llevarme casi nada, así que no habrá mucho que embalar. Pienso seguir el consejo que me dio un reloj.

Olivier se mostró sorprendido.

Iris rescató del bolso el viejo reloj parado en las doce en punto y lo dejó encima de la mesa.

—Es un reloj mágico. Funciona y no funciona al mismo tiempo. Dentro lleva una inscripción que dice: *Abandona el pasado y el presente arrancará*. Es un cacharro muy misterioso, ¿no crees?

Olivier acercó el reloj a su oído:

—Hace ruido.

—Un ruido que llega de otro mundo —recordó Iris.

—O tal vez de algún lugar remoto de éste, como el restaurante donde estamos.

La anciana que les había atendido en la entrada dejó sobre la mesa dos sopas de miso y un plato repleto de vainas verdes.

—Es *edamame* —explicó Olivier—, el aperitivo preferido de los japoneses. Parecen judías verdes, pero en realidad son habas de soja. Se come sólo lo de dentro.

Iris imitó a su acompañante. Tomó una de aquellas vainas y la presionó con los dientes hasta que salió un haba de un color verde muy brillante. Estaba caliente y ligeramente salada.

—En Japón es muy común sentarse a ver la tele con un plato repleto de esta verdura —siguió Olivier, mientras se llevaba otra a la boca—. Desde luego, es mucho más sano que las palomitas de maíz. Por cierto, ¿no habías dicho que tenías tres buenas noticias que darme? Sólo me has contado lo del piso. ¿Cuáles son las otras dos?

—La segunda es que sólo me quedan por cumplir dos de los puntos de mi lista. La cerveza Ebisu me trajo buena suerte, como dijiste.

Olivier levantó la mano para llamar a la camarera y le dijo con evidente buen humor:

—Necesitamos con urgencia dos cervezas Ebisu.

Luego se volvió hacia Iris y añadió:

—Hay que brindar por los dos puntos de tu lista que aún no se han cumplido. ¿Cuáles son, por cierto?

Iris percibió que del rostro y la voz de Olivier se había esfumado todo rastro de pesadumbre. Ahora parecía más joven de lo que era, casi como aquel chico al que conoció en el albergue de montaña siendo ella adolescente.

Las cervezas comparecieron en la reunión junto a dos vasos de cerámica oscura.

—Me falta teñirme el pelo de rojo —rió Iris.

Olivier levantó su vaso.

—Brindo por los días contados de tu pelo castaño, entonces —dijo teatralmente mientras tintineaban los vasos y ambos tomaban un sorbo—. ¿Y cuál es el otro?

Iris bajó la mirada.

—El último, me lo reservo. Aunque tal vez llegues a descubrirlo.

—¡Me encantan los secretos! —se entusiasmó Olivier—. ¿Cuándo me lo vas a decir?

Durante el resto de la cena hablaron de mil cosas, mientras saboreaban algunos rollos de arroz con salmón y unas delicadas lonchas de atún crudo. Cuando retiraron el último bol, Iris habló como una experta en comida japonesa antes de guiñarle el ojo:

—Ahora nos falta el té. El final que siempre llega, como la muerte.

—Exacto.

Junto a dos tazas rústicas, cada una de un color diferente, la mujer dejó sobre la mesa una tetera de hierro colado.

Olivier comenzó a llenar la taza de Iris muy despacio, mientras le contaba:

—¿Sabías que en Japón se considera que aprender lo necesario para llevar a cabo la ceremonia del té puede llevar toda una vida?

Iris arqueó las cejas, sorprendida.

—Una ceremonia bien hecha se alarga hasta cuatro horas. Y no sólo comprende el té, sino también una comida ligera, un adorno floral y un complicado código de posturas y respuestas. En algún sitio leí que el creador de este ritual vivió en el siglo XVI. ¡Debía de tener mucho tiempo! Se llamaba Rikyu, creo recordar, y es suya la frase que sintetiza la ceremonia: «Un encuentro, una oportunidad». Este maestro afirmaba que cada vez que tomas el té con alguien vives una ocasión única y especial, algo que nunca volverá a repetirse del mismo modo. En eso radica su belleza.

—Entonces, ¿sólo lo único puede ser hermoso? No me parece justo.

—¡Todo es único! Si te fijas, en la naturaleza nada es perfecto: lo natural es asimétrico y tiene fecha de caducidad. Y nada es completo, todo se está cociendo constantemente en la gran olla de la realidad. Aquí no hay nada terminado, y en eso radica la belleza de la vida según los japoneses: el arte de la imperfección. Lo denominan *wabi-sabi*. Es lo imperfecto, lo temporal y lo incompleto. Todo lo que merece la pena es *wabi-sabi*.

—Veo que no sólo estudiaste veterinaria en Osaka —comentó Iris admirada—. Ponme un ejemplo concreto de *wabi-sabi*. ¿Esta tetera lo es?

—Más bien lo son estos boles —Olivier mostró las tazas para el té—. Están hechos con arcilla natural. Su superficie es irregular y se gastan con el uso, pero eso los hace más hermosos. Son *wabi-sabi*.

—Como esta cena —susurró Iris.

Olivier miró a Iris directamente a los ojos y fue como si el tiempo se detuviera. Como si de pronto al mundo entero le ocurriera lo mismo que al viejo reloj, que seguía sobre la mesa. El corazón de Iris se desbocó. Experimentó la maravillosa sensación de que, al mirarla de aquella forma, Olivier estaba conociendo su alma y le estaba ofreciendo la suya.

—¿Recuerdas lo que te dije la última vez, cuando te comparé con un bol de arroz blanco? —dijo él—. Te expliqué que era valioso por su natural y delicada simplicidad, capaz de captar todos los sabores de la vida. El arroz es como tú. Eres *wabi-sabi*, princesa. *Wabi-sabi* en estado puro.

Dicho esto se observaron un buen rato en silencio, electrizados de emoción. Fue como si la mirada les llevara al beso. El mundo desapareció mientras sus labios permanecían juntos. Al separarse, aún con el pulso acelerado, Iris le dijo:

—Tengo algo para ti. Es muy sencillo, pero expresa todo lo que siento.

De su bolso sacó una hoja de papel.

Olivier lo abrió y leyó:

La pluma en la derecha.
El corazón a la izquierda.
Y tú por todas partes.

—El papel está arrugado —dijo Olivier sosteniéndolo como si fuera un tesoro.

—Ha recorrido un largo camino hasta encontrar a su verdadero dueño.

Antes de que él pudiera contestar nada, Iris volvió a besarle y añadió:

—Ya sólo me queda por cumplir un deseo.

La vida es una calle de sentido único

Antes de cerrar para siempre aquella etapa de su vida llena de descubrimientos y emociones, aún le quedaba regresar a un sitio muy especial.

Se encontró con Ángela junto a la esquina donde había estado *El mejor lugar del mundo es aquí mismo*. Tenía muchas cosas que contarle, pero dejó para más tarde las noticias y le preguntó:

—¿Verdad que me dijiste que antes habías sido peluquera?

—Exacto.

—¿Tú podrías teñirme el pelo de rojo? ¿Crees que me quedaría bien?

—¡Te quedaría perfecto! Qué buena idea. Mañana mismo compraré el tinte —dijo Ángela, mientras abría la puerta del almacén con una gran llave oxidada.

Cuando iba a pasar al interior, su amiga la detuvo:

—¿Te importa si entro yo sola? —preguntó Iris—. Necesito volver a...

—No me des explicaciones —la interrumpió—. Entre tú y yo no son necesarias. Te espero aquí. ¡Si me necesitas, silba!

La vieja nave estaba iluminada sólo por la luz que se filtraba a través de las farolas de la calle. De nuevo se sorprendió al no encontrar ningún vestigio del café donde tan buenos ratos había pasado con Luca, aunque ahora sus sentimientos eran muy distintos a las otras veces.

El polvo del suelo crujía bajo sus pasos, cuyo eco resonaba en las paredes del local. El almacén estaba tan abandonado como en la última visita, pero esta vez no encontró ninguna mesa, ni la esperaba ninguna taza de chocolate caliente. Tampoco encontró la estantería repleta de paquetes con «cuentas pendientes».

Iris se detuvo en mitad de aquel paisaje vacío y esperó unos segundos. No ocurrió nada. Contó hasta diez, hasta veinte, hasta cincuenta, hasta cien... Se resistía a marcharse con las manos vacías. Hasta que se cansó de contar y se sintió un poco ridícula. La oscuridad se difuminaba a medida que sus ojos se acostumbraban a estar allí. El silencio era tan espeso como la última vez, y sólo el sonido diminuto que emitía su reloj mágico conseguía romperlo.

De repente, se sintió decepcionada. Había ido hasta allí en balde. Nada iba a ocurrir. ¡Qué tonta había sido de creer lo contrario!

Echó un último vistazo al local, a modo de despedida, y acto seguido comenzó a andar hacia la puerta. Seguro que Ángela le haría mil preguntas y ella no tendría ninguna respuesta que ofrecerle.

Ya casi había alcanzado el picaporte cuando la sobresaltó una voz penetrante:

—¿Has descubierto ya qué es lo que siempre ocurre en el presente?

Hubiera reconocido aquella voz entre mil. Pertenecía al mago. Su melena blanca refulgió de pronto en mitad de la negrura.

—¿Además de la magia? —preguntó Iris, feliz de volver a encontrarle.

—Mucho más importante.

—Más importante que la magia sólo es la felicidad.

—¡Bingo! —exclamó, mientras de muy lejos llegaba un sonido parecido al de unos platillos—. ¡Señoras y señores, les ruego que despidan con una ovación a nuestra valiente concursante!

Ahora le pareció escuchar un aplauso que llegaba desde la lejanía, mientras el mago repetía una reverencia muy teatral y sonreía feliz.

Iris recordó lo que le había dicho: «Lo que importa es la ovación».

—He vuelto sólo para ver si le encontraba. Me pareció verle en el hospital. Era usted, ¿verdad? —dijo Iris.

—Todos debemos ir alguna vez a lugares que nos entristecen —repuso solemne—. De la tristeza también se aprende mucho. Por lo que respecta a este café... has llegado justo a tiempo. Estaba a punto de marcharme.

—¿A dónde va?

—A cualquier parte. Un ilusionista siempre es bien recibido. Nuestro arte no conoce fronteras, ¿no crees?

—Quería darle las gracias. Creo que encontré a Luca. Usted ya sabía que había muerto, ¿verdad?

—Claro, querida. La vida es una calle de sentido único.

—Y también sabía que mis padres se fueron sin despedirse. Y que eso no les dejaba marcharse. Ni a mí ser feliz.

El mago sonreía, como si aquella fuera la mejor respuesta.

—Ya no temo a la muerte —dijo Iris—, no me parece tan triste como antes.

—Eso es estupendo. La muerte sólo es triste para quienes no se han atrevido a vivir.

—Y lo mejor de todo es que tampoco temo al futuro —añadió ella.

—*Abandona el pasado y el presente arrancará*, ¿no es cierto? Lo dice bien claro en tu reloj.

—Aunque hay algo que todavía no comprendo y en lo que no puedo dejar de pensar.

El mago le hizo un gesto con la mano para indicarle que continuara.

—¿Por qué el café ya no está en su lugar? No entiendo cómo algo así puede desaparecer tan deprisa.

—No lo entiendes porque te formulas la pregunta equivocada —dijo el mago, con mucha calma—. La cuestión no es por qué desapareció, sino por qué estaba aquí cuando tú entraste la primera vez.

Iris encogió los hombros para expresar que no entendía nada. Todo aquello le parecía muy confuso.

—¿Te acuerdas de la tarde que descubriste *El mejor lugar del mundo*?

—Por supuesto. Fue una de las tardes más tristes de mi vida. Tenía la cabeza llena de ideas extrañas. ¿Se asustará si le digo que hasta intenté suicidarme?

—Claro que no. Mis clientes siempre tienen ese tipo de ideas en la cabeza. Precisamente por eso son mis clientes.

Iris meditó un segundo, aturdida por lo que acababa de escuchar.

—Entonces... *El mejor lugar del mundo es aquí mismo* es...

—Un lugar de paso —dijo el mago—. Dicho de otro modo: es una especie de sala de espera. Allí donde aguardan los que van a pasar al otro lado. Los antiguos griegos creían que tras morir todos debían atravesar una laguna a bordo de una embarcación tripulada por un barquero experto pero caprichoso. Si les tomamos en serio, el café sería la barca y yo sería el barquero.

—De modo que todos los clientes del café estaban...

—Todos los clientes del café son viajeros en tránsito. Sí, no me mires así, estaban muertos.

—¿Y por qué no encontré a mis padres entre ellos?

—No todo el mundo necesita esperar. Algunos cruzan fácilmente al otro lado. Además, tengo entendido que ellos enviaron a Luca para resolver sus cuentas pendientes. Se fueron tranquilos. Igual que Luca, gracias a ti.

—Pero yo estaba viva.

—Sí, pero la vida había dejado de interesarte. Tú misma has dicho que querías acabar con ella.

—¿Me estás diciendo que si no me hubiera intentado suicidar, si hubiera tenido planes y ganas de vivir el café nunca hubiera existido para mí?

—No exactamente. Te estoy diciendo que esas son las razones por las que desapareció.

En ese instante, una lejana melodía comenzó a sonar. Iris escuchó atenta. Tanto la letra como la música le resultaron familiares, como si las hubiera oído en alguna otra ocasión. O tal vez fuera porque tenía la impresión de que le hablaban a ella:

Heaven after heaven
Our wings are growing
This is such a perfect world
*When you're in love**

—Ha llegado el momento. Debo irme —concluyó el mago mientras se encaminaba hacia la parte trasera del almacén.

—¡Todavía no he podido preguntarte cuál es el secreto del reloj!

* Del inglés: *Un cielo tras otro / nuestras alas van creciendo / Éste es un mundo perfecto / cuando amas a alguien...*

La voz del mago le llegó como si ya estuviera muy lejos.

—No hay secreto, Iris. Deja que el presente arranque.

Trató de distinguir su silueta en la oscuridad, pero ya no le fue posible. El mago había desaparecido. Y esta vez tuvo la certeza de que era para siempre.

Como si quisiera aferrarse a lo último que le quedaba de aquel lugar y de la gente que lo había habitado, Iris buscó el reloj y lo miró.

Entonces se dio cuenta.

La aguja que marcaba los segundos había comenzado a avanzar por la esfera.

Lo acercó a su oído y escuchó maravillada el fuerte tictac de la vida.

El presente había arrancado.

Epílogo

Iris abrió los ojos cuando apenas comenzaba a entrar el sol en su nueva casa. Era su primera mañana allí, y todavía no lograba acostumbrarse. Ni siquiera a la belleza del mar que resplandecía con los rayos del nuevo día.

Había soñado con Luca. En el sueño él iba vestido completamente de blanco, avanzando por una habitación muy luminosa. Se acercaba a ella, la besaba suavemente en los labios y le decía:

—Gracias a ti nunca más estaré solo. Y tú tampoco lo estarás, porque a partir de ahora seré tu ángel de la guarda.

Al despertar, aún tenía el sabor agridulce del beso en los labios. Se sentía intranquila, como si al recordar a Luca estuviera cometiendo una infidelidad. Su primer pensamiento, nada más abrir los ojos, fue para Olivier. ¿Qué le diría si se enterara de su sueño? ¿Cómo vería que Luca hubiera vuelto a aparecer en sus pensamientos, para decirle que estaría velando por su felicidad? ¿Y si ella se había equivocado al tomar las últimas decisiones? ¿Y si aquel piso no era en realidad el lugar donde debía estar?

Cuando se tranquilizó un poco, un olor delicioso e inconfundible llegó a sus fosas nasales. Sin moverse de la cama, observó los rectángulos que la luz dibujaba en el techo. De inmediato trató de analizar aquel olor. Fue fácil. Lo conocía muy bien. Era chocolate.

Se levantó de un salto y miró hacia su mesilla. ¡Allí estaba! Una taza de chocolate humeante, como recién hecho, con una inscripción grabada en la porcelana.

Mientras el corazón le latía muy fuerte, en la taza leyó:

EL MEJOR LUGAR DEL MUNDO
ES AQUÍ MISMO

Agradecimientos

A Rocío Carmona, editora entusiasta de este libro, por haber dado vida al café mágico.

Al Dr. Eduard Estivill, por abrir la puerta al cuento del loro, y por tantos años de optimismo y amistad.

A Jaume Rosselló, padre espiritual y editor de *Los viajes de Índigo*.

Al grupo Hotel Gurú, por ponerle banda sonora a muchos pasajes de esta historia.

A los lectores y lectoras que se emocionan con las historias, por sentarse con nosotros a las mesas del café de los sueños.

Índice

PRIMERA PARTE
Las seis mesas del mago

SEGUNDA PARTE
El tictac de la vida